Dr. med. Elke Ruchalla

Erhöhter Cholesterinspiegel

Aktiv vorbeugen, gesund genießen

Außerdem erhältlich:
Bluthochdruck – Vorbeugen und dauerhaft senken
Diabetes mellitus – Blutzucker senken, bewusster leben
Migräne – Schmerzattacken vermeiden und behandeln
Rückentraining – Die Wirbelsäule gezielt stärken
Schlafstörungen – Ursachen erkennen und behandeln
Schüßler-Salze – Gesund mit den 12 Mineralstoffen
Stress bewältigen – Gelassen und entspannt im Alltag

Über die Autorin:
Dr. med. Elke Ruchalla ist Diplom-Biologin (1982) und Medizinerin (1987).
Nach mehr als zehn Jahren klinischer Tätigkeit in den Bereichen Innere
Medizin sowie Anästhesie/Intensivmedizin im Operationssaal, auf der
Intensivstation und in der Notfallmedizin (Fachärztin seit 1995) ist sie seit
1999 selbstständig als freiberufliche Autorin, Übersetzerin und Lektorin
für medizinische Sach- und Fachtexte tätig. Weitere Informationen über die
Autorin finden Sie auf ihrer Website www.medizin-recherchen.de.

compact via ist ein Imprint der Compact Verlag GmbH

© 2010 Compact Verlag GmbH München

Text: Dr. med. Elke Ruchalla (außer Tests auf S. 65 f. und S. 107)
Redaktion: Christine Hoffmann
Produktion: Wolfram Friedrich
Titelabbildung: Ariel Skelley/Riser/Getty Images
Layout: h3a GmbH, München
Umschlaggestaltung: h3a GmbH, München

ISBN 978-3-8174-8239-9
5482391
Besuchen Sie uns im Internet: www.compact-via.de

Inhalt

Behandlungsmöglichkeiten 48

Hilfe zur Selbsthilfe 62

Serviceteil 111

Vorwort

Deutlich erhöhte Blutfettwerte sind eine Volkskrankheit geworden – vorsichtig geschätzt, ist mittlerweile jeder Dritte davon betroffen. Trotzdem bleibt die Erkrankung häufig unerkannt. Denn zu viel Fett im Blut verursacht jahre- bis jahrzehntelang keine Beschwerden. Und es gibt keine typischen Anzeichen, die auf erhöhte Werte hinweisen. Erkannt wird eine Fettstoffwechselstörung leider in vielen Fällen erst dann, wenn sie bereits ernsthafte Schäden an lebenswichtigen Organen verursacht hat: Erhöhte Blutfettwerte zählen zusammen mit Bluthochdruck, Übergewicht und Diabetes zu den wichtigsten Risikofaktoren für Krankheiten des Herz-Kreislauf-Systems, beispielsweise Herzinfarkte oder Schlaganfälle. Herz-Kreislauf-Erkrankungen (und nicht Krebs, wie häufig gedacht) sind die führenden Krankheits- und Todesursachen in Deutschland.

Die gute Nachricht dabei lautet jedoch: 80 Prozent der Herzerkrankungen können durch einen gesunden Ernährungs- und Lebensstil verhindert werden. Auf den folgenden Seiten erfahren Sie vieles über erhöhte Blutfettwerte, Beschwerden sowie Untersuchungsmöglichkeiten und erhalten wertvolle Informationen zu aktuellen Behandlungsmöglichkeiten. Der Schwerpunkt dieses Ratgebers liegt auf dem vierten Kapitel „Hilfe zur Selbsthilfe", Sie finden praktische Tipps und Hinweise für eine gesunde Ernährung sowie Diätvorschläge, Ratschläge – beispielsweise zu geeigneten Sportarten – und Anregungen, wie Sie diese in Ihrem täglichen Leben effektiv umsetzen können.

Dieses Buch kann Ihnen den Besuch beim Arzt nicht abnehmen. Die korrekte Diagnose und v. a. die für Sie genau passende, maßgeschneiderte Therapie kann nur Ihr Arzt gemeinsam mit Ihnen festlegen. Aber die hier vermittelten Fakten können Ihnen dabei helfen, sich auf den Arztbesuch vorzubereiten und Ihnen ergänzende Hinweise zum Umgang mit und zur Vorbeugung von erhöhten Cholesterinwerten liefern.

Dr. med. Elke Ruchalla

Cholesterin: Was ist das eigentlich?

Cholesterin ist ein häufig und auch höchst kontrovers diskutiertes Thema. Aber was ist mit „gutem" und „schlechtem" Cholesterin gemeint? Was sind Triglyzeride? Und warum sind erhöhte Fettkonzentrationen im Blut gefährlich?

Begriffsklärung: Blutfette und ihre „Verpackungen"

In diesem ersten Kapitel werden zunächst ein paar Grundlagen dargestellt: Sie erfahren Wissenswertes über Cholesterin (in Form von LDL- und HDL-Cholesterin), über Triglyzeride sowie über Lipoproteine. Diese Informationen werden es Ihnen leichter machen, den später folgenden Text so zu verstehen, dass Sie die dort gegebenen Tipps und Ratschläge ohne große Mühe in Ihren Alltag einbauen können.

Die wesentlichen Gruppen von Fettsubstanzen im Blut umfassen:

- Cholesterin (zu LDL- und HDL-Cholesterin vgl. S. 14 ff.)
- Triglyzeride (Neutralfette, bezeichnen „das" Fett im engeren Sinne) und
- Lipoproteine (eine Kombination aus Fettstoffen und Eiweiß, die dafür sorgt, dass Fett im Blut transportiert werden kann).

Der Begriff „Lipide" als Überbegriff für Fette und fettähnliche Substanzen findet sich v. a. in wissenschaftlichen Texten und wird hier nicht weiter verwendet (Genaueres s. Glossar S. 112 ff.).

Cholesterin

Cholesterin ist eine fettähnliche Substanz (auch: Fettbegleitsubstanz, wissenschaftlich: ein Lipid), was bedeutet, dass es gemäß der exakten chemischen Definition nicht den Fetten zugeordnet werden kann. In der Folge wird aber Cholesterin der Lesbarkeit halber den Fetten mit zugeordnet.

Die Wortkonstruktion „fettähnlich" zielt darauf ab, dass Cholesterin kein Fett gemäß der exakten chemischen Definition von Fetten ist.

Ohne Cholesterin wäre eine Reihe lebenswichtiger Funktionen in unserem Organismus nicht möglich. Es ist beispielsweise im Körper erforderlich für die Bildung von:

- Hormonen wie Östrogenen (die weiblichen Sexualhormone), Testosterone (das männliches Sexualhormon) sowie Hormonen der Nebennierenrinde (Kortikoide),
- Gallensäuren, die die Verdauungsvorgänge ermöglichen,
- Vitamin D3, das zusammen mit Kalzium für einen gesunden Knochenstoffwechsel unabdingbar ist,
- Nervenummantelungen (Myelinscheiden), die eine schnelle Weiterleitung von Nervensignalen ermöglichen,
- Zellbausteinen wie die Zellmembranen, die die Zellen umschließen, sie folglich abgrenzen und damit für einen geordneten Transport von Stoffen in die Zelle hinein und aus der Zelle heraus sorgen.

Die (unvollständige) Aufzählung dieser vielfältigen und lebenswichtigen Funktionen, die Cholesterin erfüllt, zeigt, dass dessen Zufuhr für den Körper gewährleistet werden muss. Die erste Möglichkeit besteht in der Bildung von Cholesterin durch den Körper selbst: in der Leber, in der Nebennierenrinde und in den Geschlechtsorganen.

Eine Alternative ist die Zufuhr über die Nahrung – rein bedarfstechnisch ist sie allerdings nicht erforderlich, da im menschlichen Körper i. d. R. eine ausreichende Menge, d. h. ein bis zwei Gramm Cholesterin täglich, selbst hergestellt wird.

Auf englischen Webseiten werden Sie vergeblich nach „Cholesterin" suchen: Hier heißt es „cholesterol".

EINFACH TIERISCH

Das mit der Nahrung aufgenommene Cholesterin stammt nur aus tierischen Lebensmitteln, alle pflanzlichen Produkte sind grundsätzlich cholesterinfrei.

Warum man u. U. das Cholesterin senken soll, erfahren Sie im Folgenden. Und ganz Ungeduldige können im Abschnitt „Folgeerkrankungen bei erhöhten Blutfettwerten" (s. S. 18 ff.) nachschlagen.

Triglyzeride

Die Triglyzeride sind organische Verbindungen aus Glyzerin, das aufgrund seiner wasserbindenden Eigenschaften beispielsweise in Kosmetikartikeln verwendet wird. Sie weisen jeweils drei an ein Molekül Glyzerin gebundene, häufig unterschiedliche (gesättigte und/oder ungesättigte) Fettsäuren auf, weswegen sie auch häufig kurz als gesättigte bzw. ungesättigte Fette bezeichnet werden. Zu ihrer gesundheitlichen Bedeutung erfahren Sie mehr im Kapitel „Hilfe zur Selbsthilfe".

Fettsäuren werden entsprechend ihrer Anzahl an chemischen Doppelbindungen unterschieden: Fettsäuren, die diese nicht haben, werden als gesättigt bezeichnet. Jene mit einer oder mehreren chemischen Doppelbindungen sind einfach ungesättigt (sie verfügen über eine Doppelbindung) oder mehrfach ungesättigt (mit mehreren Doppelbindungen). Ungesättigte Fettsäuren sind aufgrund dieser Struktur wesentlich reaktionsfreudiger als gesättigte. Der Körper bildet aus ihnen wichtige Stoffe, wie beispielsweise Gewebehormone, die den Blutdruck und die Immunfunktion regulieren.

FETTSÄUREN IN DER NAHRUNG

Tierische Fette (in Butter, aber auch verborgene Fette in Wurst u. a.) enthalten zum großen Teil gesättigte Fettsäuren, pflanzliche Fette (wie beispielsweise Pflanzenöle) sowie Fischöle enthalten dagegen auch ungesättigten Fettsäuren.

Fette sind wichtige Nährstoffe

Fette werden zwar gern mit einem gewissen Misstrauen betrachtet, wie der durchaus negative Beiklang des Begriffes „fett" deutlich macht. Neben Kohlenhydraten und Eiweißen sind sie aber der dritte zentrale Nährstoff für den menschlichen Organismus. Fett liefert von allen drei Nährstoffen die meiste Energie: 9,3 Kilokalorien (kcal) Energie pro Gramm reinem Fett. Wenn wir also 100 Gramm eines Produkts essen, das zu 50 Prozent aus Fett besteht, nehmen wir mit dem Fett folglich 50 x 9,3 Kalorien = 465 Kalorien zu uns. Triglyzeride sind damit auch der wichtigste Energiespeicher des Organismus.

Fett ist auch ein Träger von Geschmacks- und Aromastoffen.

Fett ist lebensnotwendig: Es liefert und speichert Energie, ist ein Baustein für Nervenzellen und sorgt für die Aufnahme und den Transport der fettlöslichen Vitamine A, D, E und K im Körper. Darüber hinaus dient Fettgewebe auch als Schutzpolster für wichtige Organe wie die Nieren oder die Augen. Außerdem wärmt die Fettschicht den Körper, und Fettsäuren verhindern das Austrocknen der Haut.

Nährstoffe, die nicht sofort vom Körper benötigt werden – beispielsweise jene zur Aufrechterhaltung des Stoffwechsels, zum Wachstum oder zum Aufbau von neuem Gewebe – werden zu Triglyzeriden verarbeitet und so als Fettgewebe gespeichert. Besonders gesättigte Fettsäuren werden schnell in diese Depots verschoben, da sie vom menschlichen Organismus schwerer ab- und umgebaut werden können als ungesättigte Fettsäuren. Benötigt der Körper dann später einmal mehr Nährstoffe, als er aktuell mit der Nahrung erhält, wird dieses Fettgewebe wieder abgebaut: Die Triglyzeride werden in ihre Bestandteile Glyzerin und Fettsäuren zerlegt und in die für den Stoffwechsel jeweils benötigten Substanzen umgewandelt.

INFO

FETTSÄUREN SIND LEBENSNOTWENDIG

Die meisten Fettsäuren kann der Körper selbst bilden, manche jedoch müssen über die Nahrung aufgenommen werden. Das sind die sogenannten essenziellen Fettsäuren. Dazu gehören die Linolensäure sowie die Linolsäure, die beide zu den ungesättigten Fettsäuren zählen und aus denen nach ihrer Umwandlung schließlich Gewebshormone gebildet werden.

Nicht nur Fett macht fett

Nicht nur das Fett, das wir essen und nicht sofort benötigen, wird im Fettgewebe gespeichert – auch ein Teil des Zuckers (genauer: der Kohlenhydrate), den wir mit der Nahrung aufnehmen und nicht direkt verbrauchen, wird in Triglyzeride umgewandelt und dann als Fettdepot abgelagert. So trägt ein etwa 75 Kilogramm schwerer, nicht übergewichtiger Erwachsener ungefähr acht Kilogramm Fettgewebe mit sich herum, was theoretisch

einen Energievorrat für 40 Tage darstellt. Übrigens: Auch der Genuss von Alkohol macht sich äußerlich bemerkbar: Alkohol zählt in diesem Sinne als Zucker – die Anzahl der Triglyzeride im Blut steigt an, wenn zu viel Alkohol getrunken wird.

Lipoproteine

Blut besteht zum größten Teil aus Wasser. Daher können manche Substanzen wie beispielsweise Fette, die sich nicht oder nur schlecht in Wasser lösen bzw. sich mit diesem vermischen, nicht direkt im Blutstrom mitschwimmen, um zu ihrem Ziel (z. B. bestimmte Organe oder Gewebe) zu gelangen. Damit folgt nun gleich das Problem: Da Blut und Fett sich nicht vermischen, würden die Fette, die aus dem Darm ins Blut aufgenommen wurden, einfach an Ort und Stelle liegen bleiben und so in kürzester Zeit das Blutgefäß verstopfen. Das Blut könnte nicht mehr weiterfließen und die Versorgung des Organismus mit Sauerstoff und Nährstoffen wäre folglich nicht mehr gewährleistet.

Lipoproteine sind die Transportform für Fette im Blut. Um dies zu vermeiden, erhalten die Fettstoffe eine Art Ummantelung oder Verpackung, die den Transport zu ihrem Bestimmungsort ermöglicht. Diese derart verpackten Fette (Lipide) werden als Lipoproteine bezeichnet. Lipoproteine sind also quasi ein gemischtes Doppel: Stellt man sie sich als ein kugelähnliches Gebilde vor, befinden sich ganz im Inneren der Kugel die zu transportierenden Fette (oder die fettähnlichen Stoffe wie das Cholesterin).

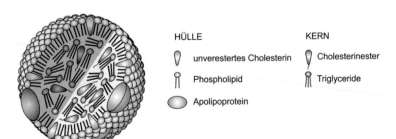

HÜLLE
- unverestertes Cholesterin
- Phospholipid
- Apolipoprotein

KERN
- Cholesterinester
- Triglyceride

Anschließend folgen nach außen hin fettähnliche Substanzen (die „Schwänze" der Phospholipide), die sich mit dem Fett im Inneren der Kugel vertragen. Das Äußere der Kugel, also die mit dem Blut unmittelbar in Kontakt stehende Seite, besteht aus dem wasserlöslichen Kopf der Phospholipide (einer Verbindung aus Phosphorsäure und Fettsäuren) sowie Eiweißstoffen, den sogenannten Apolipoproteinen. Die Außenseite dieses „Fettpakets" verträgt sich also mit dem Blut, die Innenseite mit dem Inhalt, dem zu transportierenden Fett. Die Lipoproteine ermöglichen somit, Cholesterin und Triglyzeride im Blut zu den Orten zu transportieren, an denen sie benötigt werden (z. B. in der Leber, im Fettgewebe usw.). Die Abbildung auf S. 12 ist eine vereinfachte Darstellung dieses Aufbaus.

Cholesterin und Triglyzeride

Cholesterin und Triglyzeride werden mit der Nahrung aufgenommen und gelangen so in den Darm. Dort werden sie mithilfe der von der Leber gebildeten und in den Zwölffingerdarm abgegebenen Gallensäuren vermischt (emulgiert), damit sie leichter in die Darmzellen aufgenommen werden können. Die Triglyzeride müssen für diesen Weg allerdings zunächst einmal in ihre Bestandteile Glyzerin und Fettsäuren zerlegt werden, da sie diesen als ganze Moleküle nicht passieren können.

Im Normalzustand

Für diese Zerlegung sorgen sogenannte Lipasen, das sind bestimmte Verdauungsenzyme, die in der Bauchspeicheldrüse gebildet und in den Darm abgegeben werden. Die Spaltprodukte sind dann einzelne, sogenannte freie Fettsäuren und Monoglyzerid (ein Glyzerinmolekül mit nur einer einzigen Fettsäure). In den Darmzellen werden die Fettsubstanzen dann mit Eiweißstoffen und Phospholipiden zu Chylomikronen zusammengesetzt. Diese Lipoproteinpartikel gelangen anschließend in dieser Form ins Blut und folglich auch zu den einzelnen Organen. Aber das ist noch nicht alles: Wie bereits oben gesagt, bildet der Körper v. a. in der Leber auch selbst Cholesterin; weitere Bildungsorte sind die Nebennierenrinde und die Geschlechtsorgane. Die Leber speichert außerdem Cholesterin.

Lipasen spalten Triglyzeride in Glyzerin und Fettsäuren auf, die dann vom Darmlumen in die Darmzellen gelangen.

13

Dieses wird dann bei Bedarf z. B. für die Produktion von Gallensäuren freigesetzt. Auch Triglyzeride werden in der Leber ab- und umgebaut, sofern sie nicht im Fettgewebe abgelagert werden. Diese vom Körper in der Leber selbst gebildeten Fette nehmen jedoch einen anderen Transportweg als die Fette, die direkt aus der aufgenommenen Nahrung stammen: Triglyzeride aus der Leber werden vornehmlich in den VLDL (s. Infokasten) transportiert, v. a. die LDL (s. Infokasten) bringen das Cholesterin von der Leber zu den Organen und Körperzellen, in denen es weiterverarbeitet wird. HDL (s. Infokasten) schließlich transportieren das nicht mehr benötigte Cholesterin aus den Körperzellen zur Leber. Dort wird es zu Gallensäure umgebaut und schließlich mit der Gallenflüssigkeit über den Darm ausgeschieden.

LDL und HDL: Gut gegen Böse

So erklären sich die Begriffe „LDL-Cholesterin" – das in den LDL transportierte Cholesterin – und entsprechend auch das „HDL-Cholesterin" – das in den HDL beförderte Cholesterin. Dabei transportieren die LDL das Cholesterin aus der Leber in die einzelnen Zellen des Körpers, während die HDL für die Gegenrichtung verantwortlich sind: Sie schaffen Cholesterin aus Zellen hinaus und Gewebe in die Leber, in der es ab- bzw. zu wichtigen Stoffwechselsubstanzen umgebaut wird. Vereinfacht heißt das:

- Der Wert des HDL-Cholesterins sagt etwas darüber aus, wie viel Cholesterin aus der Peripherie, also dem Gewebe, in die Leber zurückgelangt und nicht in den Gefäßen hängen geblieben ist. HDL kann Cholesterinablagerungen in den Gefäßen verhindern und sogar abgelagertes Cholesterin wieder herauslösen: Es gilt daher als das „gute" Cholesterin.
- Der Wert des LDL-Cholesterins zeigt dagegen an, wie viel Cholesterin noch im Körper zirkuliert und aus diesem Grund in den Wänden der Blutgefäße abgelagert werden kann.

Dies kann der erste Schritt auf dem Weg zu einer Arteriosklerose (auch Atherosklerose genannt) sein. Dem entspringt auch die umgangssprachliche Bezeichnung als „böses" Cholesterin.

Wenn das Gleichgewicht gestört ist

Wird zu viel Fett aufgenommen oder kann das aufgenommene Fett nicht korrekt abgebaut werden, kommt es zu einer Fettstoffwechselstörung. Man unterscheidet je nach Beteiligung von Triglyzeriden und / oder Cholesterin:

- Isolierte Hypercholesterinämie: Nur die Cholesterinkonzentration (des LDL-Cholesterins) im Blut ist erhöht.
- Isolierte Hypertriglyzeridämie: Nur die Triglyzeridkonzentration im Blut ist erhöht.
- Kombinierte Fettstoffwechselstörung (oder kombinierte Hyperlipidämie): Sowohl die Cholesterin- (LDL-) als auch die Triglyzeridkonzentration im Blut sind erhöht.

Auf die in Medizinerkreisen häufig verwendete Einteilung der Hyperlipidämien nach Donald Fredrickson (Typ I bis V) kann aufgrund der Komplexität dieses Themas hier nicht eingegangen werden. Bei der Bewertung erhöhter Blutfettkonzentrationen spielen darüber hinaus nicht nur die Gesamtcholesterin- und LDL-Cholesterinkonzentration eine Rolle, sondern auch die des HDL-Cholesterins: Ist der HDL-Spiegel im Blut zu niedrig, kann sich dies durch die Entstehung von Folgeerkrankungen wie einer koronaren Herzkrankheit ebenfalls negativ auf den menschlichen Körper auswirken.

INFO

DIE REGULATION HAT IHRE GRENZEN

Der Körper produziert täglich ein bis zwei Gramm Cholesterin. Diese Menge würde den Bedarf auch bei einer völlig cholesterinfreien Ernährung decken. In den meisten westlichen Industrieländern nimmt der Mensch allerdings darüber hinaus jeden Tag etwa 500 bis 750 Milligramm Cholesterin über die Nahrung zu sich. Ein Zuviel an Cholesterin kann im Organismus bis zu einem gewissen Grad durch verschiedene körpereigene Regulationsmechanismen ausgeglichen werden, der wichtigste wird durch das Enzym HMG-CoA-Reduktase gesteuert. Ist dieses Regulierungssystem aber überlastet, steigt der Cholesteringehalt im Blut an.

In die Bewertung muss auch das Verhältnis von LDL zu HDL einbezogen werden – der Gesamtcholeringehalt im Blut ist isoliert betrachtet bei der Einstufung einer Fettstoffwechselstörung nicht immer aussagekräftig.

Wie kommt das Fett in unseren Körper?

Grob gesehen lassen sich aufgrund der Ursache erhöhter Cholesterin- und Triglyzeridkonzentrationen primäre und sekundäre Formen von Fettstoffwechselstörungen unterscheiden.

Primäre Stoffwechselstörungen

Bei den verschiedenen primären Formen liegt jeweils ein erblicher (genetischer) Defekt auf verschiedenen Ebenen des Fettstoffwechsels zugrunde, der die Aufnahme, Verarbeitung oder den Abbau verschiedener Fettbestandteile stört. Bei einer relativ häufigen Form fehlen dem Patienten die sogenannten LDL-Rezeptoren, die das LDL-Cholesterin aus dem Blut in die Zellen aufnehmen – es handelt sich um eine familiäre Hypercholesterinämie.

Es sind bisher mehr als 100 Genveränderungen bekannt, die zu einer familiären Hypercholesterinämie führen können.

Dementsprechend verbleibt das Cholesterin in den Blutgefäßen und wird in deren Wänden eingelagert, was gleichzeitig auch den ersten Schritt auf dem Weg zur Arteriosklerose darstellt. Im Gegensatz zu der ernährungsbedingten Form beginnt diese Arterienkrankheit aber schon im Kindesalter, und bereits Jugendliche können schwere Herzinfarkte erleiden. Insgesamt kommen diese primären Hyperlipidämien jedoch vergleichsweise selten vor.

Sekundäre Fettstoffwechselstörungen

Diese Störungen des Fettstoffwechsels entstehen aufgrund anderer Erkrankungen, einen Überblick gibt die folgende Tabelle 1. Auch Medikamente wie manche Wassertabletten (Diuretika), empfängnisverhütende Mittel („Pille"), Kortisonabkömmlinge, manche Betablocker (diese werden zur Behandlung von Bluthochdruck eingesetzt) und Genussmittel wie Alkohol können zu sekundären Störungen des Fettstoffwechsel führen.

Sie lassen sich durch die Behandlung der Grunderkrankung bzw. das Absetzen des verantwortlichen Medikaments korrigieren, soweit dies möglich ist.

Die in den westlichen Zivilisationsgesellschaften vorherrschende Fettstoffwechselstörung kann im Prinzip als sekundäre Form betrachtet werden, sie geht mit den Grundkrankheiten Fehlernährung (in Bezug auf Menge und Zusammensetzung der mit der Nahrung zugeführten Fette, Kohlenhydrate und Ballaststoffe), Übergewicht und mit mangelnder körperlicher Bewegung einher.
Auch hier spielen zwar erbliche Einflüsse eine Rolle, die aber gegenüber den genannten „Umwelt"-Faktoren ursächlich weit zurückliegen. Mediziner sprechen von einer polygenen oder multifaktoriellen Hyperlipidämie, mehr als 80 Prozent aller heutigen Fettstoffwechselstörungen sind hier einzuordnen.

TABELLE 1: ERKRANKUNGEN UND MEDIKAMENTE, DIE ZU SEKUNDÄREN FETTSTOFFWECHSELSTÖRUNGEN FÜHREN KÖNNEN

System	Erkrankung
hormonelles System	Diabetes mellitus (Zuckerkrankheit) bei ständig erhöhten Blutzuckerwerten, Schilddrüsenunterfunktion (Hypothyreose), Nebennierenrinden-Überfunktion: übermäßige Bildung von Hormonen der mittleren Zone der Nebennierenrinde (Glukokortikoiden) durch einen Tumor der Nebennierenrinde selbst oder der Hirnanhangdrüse (Hypophyse)
Nieren	chronisches Nierenversagen mit Hämodialyse („Blutwäsche")
Leber	primäre biliäre Zirrhose (Gallestauung durch eine chronische Entzündung der kleinen Gallengänge in der Leber), Rückstau der Gallenflüssigkeit in die Leber durch Tumore oder Steine in den Galleabflusswegen, chronische Leberentzündung (Hepatitis)
Bauchspeicheldrüse (Pankreas)	chronische Entzündung (Pankreatitis)
Autoimmunerkrankungen	Lupus erythematodes

Folgeerkrankungen bei erhöhten Blutfettwerten

Warum, werden Sie sich jetzt vielleicht fragen, ist denn nun ein erhöhter Cholesterin- oder Triglyzeridwert schädlich, wenn doch Cholesterin und Triglyzeride solch wichtige Funktionen im Körper übernehmen? Wie fast immer, ist auch dies eine Frage des Ausmaßes: Ausreichende Mengen an Cholesterin und Triglyzeriden im Körper sind notwendig, zu hohe Mengen dagegen schädlich. Bereits die Tabelle 1 auf S. 17 hat gezeigt, dass Erkrankungen in verschiedenen Körpersystemen für die sekundären Fettstoffwechselkrankheiten verantwortlich sein können, wobei aber immer der Einzelfall und die Gesamtzusammensetzung aller Blutfettwerte bewertet werden muss.

Was für den einen noch normal ist, kann für den anderen schon gefährlich sein.

Was passiert bei Arteriosklerose?

Am Beginn einer Arteriosklerose stehen kleine, mit dem Auge nicht sichtbare Verletzungen der Gefäßinnenhaut (Endothel), ausgelöst v. a. durch Rauchen, erhöhten Blutdruck oder Diabetes mellitus. In diese geschädigten Gefäßbezirke können sich vorhandene Blutfette, v. a. LDL-Cholesterin (das „böse" Cholesterin), im Übermaß einlagern. Da dies häufig in den Arterien (Schlagadern) geschieht, wurde dafür der Begriff „Arteriosklerose" geprägt. Zu den eingelagerten Fetten gesellen sich mit der Zeit noch weitere Substanzen aus dem Blut, beispielsweise Kalzium und Entzündungszellen (diese gehören zum zellulären Immunsystem): Eine sogenannte arteriosklerotische Plaque, eine herdförmige Gewebeveränderung in der Arterienwand, entsteht. Sie wird an der Oberfläche von einer Hülle aus Bindegewebe zusammengehalten, wächst in das Gefäßinnere ein, verengt folglich das Blutgefäß und stört auf diese Weise die Durchblutung hinter der Engstelle.

Ohne Eingreifen (durch Lebensstilumstellung oder die Einnahme von Medikamenten) schreitet die Plaquebildung im Laufe der Zeit weiter fort, der Innendurchmesser des Blutgefäßes wird immer geringer und das Gefäß selbst immer weniger elastisch. Blutplättchen, die bei der Blutstillung eine Schlüsselrolle spielen, lagern sich ebenfalls an die Gefäßwand an und setzen hier einen Gerinnungsprozess in Gang, bei dem ein Blutklumpen (Thrombus) entsteht. Ab einem bestimmten Punkt können dann nicht mehr genügend Blut und damit nicht mehr ausreichend Sauerstoff und Nährstoffe zu den Organen gelangen: Eine Thrombose, eine Gefäßerkrankung mit Blutgerinnsel, ist entstanden und es kommt folglich zur Mangeldurchblutung des betroffenen Organs.

Die Blutgefäße verstopfen und versorgen die Organe nicht mehr ausreichend mit Blut und Nährstoffen.

Das Risiko, das von einer Plaque ausgeht, hängt dabei allerdings nicht nur von ihrer Größe ab, sondern auch von ihrer Stabilität, das bedeutet, es wird dadurch beeinflusst, wie dick die Hülle aus Bindegewebe an ihrer Oberfläche ist.

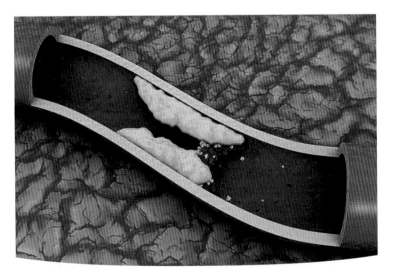

Je dicker die Umhüllung ist, desto stabiler ist auch die Plaque, und umso geringer ist das Risiko eines Einreißens. Instabil sind Plaques v. a. zu Beginn, wenn sie bereits viel Fett und nur eine dünne Bindegewebehülle aufweisen, die leicht reißt. Kommt es zu einem Einriss einer Plaque, kann sich die betroffene Arterie innerhalb von Sekunden vollständig verschließen.

Ein Infarkt entsteht. Dabei stirbt ein mehr oder weniger großer Teil des Organs unwiederbringlich ab – je nach Ausmaß und Dauer des Infarkts kommt es zu einer Funktionseinschränkung oder einem vollständigen Verlust der Organfunktion, im Extremfall sogar zum Tod.

TIPP

EIN ALARMSIGNAL

Hohe Cholesterinwerte müssen nicht zwangsläufig zu einem Herzinfarkt oder Schlaganfall führen. Sie sind aber ein Warnhinweis und sollten Anlass dazu geben, die Werte regelmäßig kontrollieren zu lassen, den allgemeinen Lebensstil einmal kritisch zu hinterfragen und ggf. umzustellen. Umgekehrt ist auch die allgemein verbreitete Ansicht „kein Cholesterin – kein Herzinfarkt" nicht korrekt – es kommt auf das Verhältnis von HDL und LDL an.

Ein anderes Problem kann sein, dass sich kleinere Plaqueteile ablösen und mit dem Blutstrom weiter transportiert werden. Da die Blutgefäße auf dem Weg zu den Organen immer enger werden, bleiben diese Bruchstücke dann früher oder später an einer Engstelle hängen: Das Gefäß verstopft, eine sogenannte Embolie entsteht. Die Auswirkungen im betroffenen Organ entsprechen denen eines Infarkts.

Da durch die Plaque die ursprünglich glatte Innenschicht der Blutgefäße rauer wird, fördert das gleichzeitig die Einlagerung weiterer Substanzen. Außerdem nehmen die Muskelzellen des Blutgefäßes nach Beginn der Plaquebildung über die Vermittlung durch Botenstoffe zu, was den Durchmesser des Gefäßes weiter verringert – ein Teufelskreis ist entstanden.

Welche Organe sind von Arteriosklerose betroffen?

Die ersten Anzeichen für Arteriosklerose finden sich zwar oft schon im frühen Erwachsenenalter, sind aber in diesem Stadium nur unter dem Mikroskop sichtbar. Von der frühen Entstehung arteriosklerotischer Plaques spüren die meisten Betroffenen nichts. Besonders häufig entstehen arteriosklerotische Plaques in den Herzkranzgefäßen. Hier wird die Erkrankung als koronare Herzkrankheit (KHK) bezeichnet. Aber auch die Blutgefäße, die zum Gehirn führen oder die die Muskulatur der Gliedmaßen mit Sauerstoff und Nährstoffen beliefern, können betroffen sein. Die Auswirkungen der Arteriosklerose hängen vom betroffenen Organ und vom Ausmaß der Gefäßveränderung ab. Letztlich führt die Plaquebildung zu einer verminderten Durchblutung des zu dem betroffenen Blutgefäß gehörenden Organs, im Extremfall zu dessen Absterben (Infarkt).

Auch die Muskelzellen der Blutgefäße können von der Erkrankung betroffen sein.

Bei einem Gehirninfarkt („Schlaganfall") sterben Gehirnzellen ab, was je nach Lokalisation der betroffenen Zellen zu Lähmungen, Sprachstörungen oder einem Bewusstseinsverlust führt. Bei einem Herzinfarkt beispielsweise sterben Teile des Herzmuskels ab, was zu einer Einschränkung der Herzleistung führt. Bei der „arteriellen Verschlusskrankheit" („Schaufensterkrankheit", s. S. 29) tritt die Plaquebildung in den Gefäßen der Beine auf, sodass die Gehfähigkeit immer weiter eingeschränkt wird, da die Muskeln nicht mehr genügend Sauerstoff erhalten. Im Extremfall, dem vollständigen Verschluss einer großen Beinschlagader, kann auch das ganze Bein absterben und muss notfalls sogar amputiert werden.

> **INFO**
>
> ## GEWEBE SIND EMPFINDLICH
>
> Gewebe, die nicht mehr mit Blut versorgt werden, gehen dann zugrunde. Bei der Muskulatur beispielsweise tritt dieser Gewebetod nach sechs bis acht Stunden ein. Für Herzmuskelzellen beträgt der Zeitraum bis zum Zelltod nur 20 Minuten, für Gehirnzellen sogar nur drei Minuten.

Das Wichtigste auf einen Blick

Was ist Cholesterin eigentlich?

Cholesterin ist eine fettähnliche Substanz, die für den Körper lebenswichtig ist, da er daraus beispielsweise Hormone, Vitamin D3, Gallensäuren und Zellhüllen (Zellmembranen) bildet. Cholesterin wird vom Körper selbst produziert, v. a. in der Leber, daneben in geringerer Menge in der Nebennierenrinde und in den Geschlechtsorganen.

Von Cholesterin hört man viel – gibt es aber nicht noch andere wichtige Fettstoffe im Blut?

Doch, die gibt es: Die Triglyzeride (Neutralfette) bilden die Fettdepots (Fettgewebe) des Körpers und sind hier v. a. als Energiespeicher von Bedeutung. Darüber hinaus dienen sie als Isolierung gegen Kälte und schützen in Form einer Fettkapsel als eine Art Stoßdämpfer Organe wie Augen oder Nieren vor Verletzungen.

Was sind Lipoproteine?

Da Fette nicht wasserlöslich sind, können sie nicht ohne Weiteres im Blut (das ja zum Großteil aus Wasser besteht) transportiert werden. Sie werden daher an Trägerstoffe gebunden, und aus Fettstoff, Phospholipiden als „Vermittlern" und Eiweißträgerstoffen entstehen die Lipoproteine. Lipoproteine sind also die Transportform für Cholesterin und Triglyzeride. Man unterscheidet bei den Lipoproteinen v. a. VLDL (Lipoproteine mit sehr geringer Dichte) zum Transport der Triglyzeride sowie die LDL (Lipoproteine mit geringer Dichte) und die HDL (Lipoproteine mit hoher Dichte) für den Transport von Cholesterin.

Was bedeutet „böses", was „gutes" Cholesterin?

Cholesterin ist in verschiedenen Lipoproteinen enthalten. Überschüssiges LDL-Cholesterin wird beim Transport in den Gefäßwänden eingelagert. Damit beginnt Arteriosklerose; daher gilt LDL-Cholesterin als das „böse" Cholesterin. HDL-Cholesterin („gutes" Cholesterin) transportiert das Cholesterin von den Körperzellen für den Aufbau wesentlicher Baustoffe zur Leber. Dieses Cholesterin wird nicht in den Gefäßwänden eingelagert, HDL kann sogar das aus den LDL abgelagerte, überschüssige Cholesterin wieder aus der Gefäßwand herauslösen und zur Leber transportieren.

Was geschieht, wenn der Cholesterinwert zu hoch ist?

Ist zu viel LDL-Cholesterin im Blut vorhanden, wird es in der Innenwand der Blutgefäße eingelagert. An diesem Cholesterin können sich weitere Stoffe und Zellen aus dem Blut anlagern, und schließlich entsteht in dem Blutgefäß eine sogenannte Plaque. Diese wölbt sich in das Gefäß hinein und verengt somit dessen Innendurchmesser.

Mit der Plaque beginnt der Prozess der Arteriosklerose. Diese wird umgangssprachlich „Gefäßverkalkung" genannt, weil sich in fortgeschrittenen arteriosklerotischen Plaques außer LDL-Cholesterin und verschiedenen Blut- bzw. Entzündungszellen auch der Mineralstoff Kalzium einlagert. Es kommt zur Verkalkung. Letztlich führt die Plaquebildung zu einer verminderten Durchblutung des zu dem betroffenen Blutgefäß gehörenden Organs, im Extremfall zu dessen Absterben (Infarkt). Am häufigsten betroffen sind Herz (Arteriosklerose der Herzkranzgefäße), Gehirn (Arteriosklerose der Halsschlagadern und kleineren Gehirnarterien) und Beine (Arteriosklerose der Beinschlagadern).

Wenn der Stoffwechsel älter wird

Sie sind über 45 Jahre? Sie sind eine Frau? – Dann sollten Sie weiterlesen.

Fettfalle Wechseljahre

Viele Frauen nehmen im mittleren Lebensalter zu. Dabei spielt die allmähliche Abnahme bzw. Gleichgewichtsverschiebung der Geschlechtshormone eine Rolle. Diese beeinflussen den Stoffwechsel von Cholesterin und Triglyzeriden, und wenn sie vermindert sind, nimmt sich auch der Fettstoffwechsel eine kleine Auszeit: Das Fettgewebe nimmt zu, und auch die Fettverteilung ändert sich. Neue Fettpölsterchen bilden sich immer mehr auch am Bauch. Und Bauchfett erhöht das Risiko für Herz-Kreislauf-Krankheiten.

Experten haben herausgefunden, dass während der Wechseljahre die Cholesterinkonzentration bei vielen Frauen erhöht ist: Bis zu 90 Prozent aller 50- bis 60-jährigen Frauen haben einen Gesamtcholesterinwert von über 200 Milligramm pro Deziliter. Und auch die Unterarten des Cholesterins können sich verschieben: Der Anteil des „guten" HDL-Cholesterins (s. S. 14) sinkt, während der des „bösen" LDL-Cholesterins (s. S. 14) steigt.

Tun Sie etwas für Ihre Blutgefäße!

Durch eine angepasste Ernährungs- und Lebensweise können Sie Ihre Blutgefäße auch jetzt gesund halten. Ein wichtiger Faktor ist Bewegung – regelmäßige Spaziergänge oder Wanderungen verbrennen Kalorien – also Fett.

Verbesserte Cholesterinwerte

Eine Kölner Sportwissenschaftlerin ließ 50 Frauen in der Postmenopause drei Monate lang regelmäßig viermal die Woche Walking oder Nordic Walking betreiben, jedes Mal anderthalb Stunden lang. Das Ergebnis: Alle nahmen zwischen zwei und knapp vier Kilogramm ab, und zusätzlich verbesserten sich die Cholesterinwerte der Teilnehmer signifikant. Sie können also nicht nur in puncto Figur profitieren, sondern gleichzeitig auch Ihr Risiko für Arteriosklerose und Herzinfarkt senken.

Symptome und Diagnose

Erhöhte Blutfettkonzentrationen stellen einen wesentlichen Risikofaktor für Herz-Kreislauf-Erkrankungen dar. Was sind typische Anzeichen, wie reagiert man am besten darauf, und wie laufen ärztliche Untersuchungen ab?

Warum sollte man Blutfettwerte messen?

Blutfettwerte sagen etwas über das Risiko von Herz-Kreislauf-Erkrankungen aus.

Blutfette bestimmt man im Gegensatz zu vielen anderen Laboruntersuchungen meist nicht, um eine bestimmte Erkrankung nachzuweisen, sondern um herauszufinden, wie groß das Risiko für Herz-Kreislauf-Erkrankungen ist. Zu viel Fett im Blut tut nicht weh und verursacht zumindest zu Beginn keine Beschwerden. Gefährlich wird es, wenn die Blutfettwerte über längere Zeit erhöht sind.

Leider können Fettstoffwechselstörungen deshalb jahrelang unbemerkt bleiben und zu einer ausgedehnten Arteriosklerose der Gefäßwände (s. S. 18 ff.) führen. Sie werden häufig erst festgestellt, wenn sich schon Folgeerkrankungen bemerkbar machen – wenn beispielsweise ein Herzinfarkt oder Schlaganfall „wie aus heiterem Himmel" kommt.

Lassen Sie deshalb ab dem 35. Lebensjahr in regelmäßigen Abständen Ihre Blutfettwerte kontrollieren. Der „Check-up 35" (s. Infokasten) enthält entsprechende Untersuchungen. Bereits vor dem 35. Lebensjahr sollten Sie sich untersuchen lassen, wenn einer Ihrer Angehörigen von hohen Blutfettwerten und/oder einer Arteriosklerose betroffen ist. Sie können die eigenen Blutfettwerte auch mit einem Schnelltest in der Apotheke untersuchen lassen – achten Sie auf entsprechende Aktionen. Allerdings sind die dort ermittelten Werte eher wenig aussagekräftig, da Blutfette immer im Zusammenhang mit einer ganzen Gruppe von Risikofaktoren betrachtet werden müssen, die bei einem Schnelltest meist vernachlässigt werden. Wenn sich also im Schnelltest ein verdächtiger Befund zeigt, sollten Sie sich unbedingt von Ihrem Arzt weiter beraten lassen. Übrigens: Bei jedem Menschen kann die Blutfettkonzentration zu hoch sein. Personen mit zu hohen Blutfettwerten sind zwar häufig auch übergewichtig und körperlich weniger fit – das bedeutet aber umgekehrt auf keinen Fall, dass schlanke und trainierte Personen optimale Blutfettwerte haben.

Je früher eine Fettstoffwechselstörung erkannt wird, desto eher kann sie behandelt werden, und umso größer ist die Chance, dass es nie zu auffälligen Symptomen einer Arteriosklerose kommt. Von den ersten Schäden an der Gefäßinnenwand bis zur Plaquebildung (s. S. 18 ff.) vergehen normalerweise Jahre. In dieser Zeit kann die Arteriosklerose noch aufgehalten werden – durch gesündere Lebensweise, Kontrolle der Risikofaktoren oder mit Medikamenten. Fettstoffwechselstörungen lassen sich gut behandeln – mehr dazu lesen Sie in den beiden Kapiteln „Behandlungsmöglichkeiten" (s. S. 48 ff.) und „Hilfe zur Selbsthilfe" (s. S. 62 ff.).

TIPP

NICHT NUR IHR FAHRZEUG SOLLTE ZUM TÜV

Der „Check-up 35" ist eine Art TÜV für Ihre Gesundheit. Danach haben gesetzlich Krankenversicherte ab dem 35. Lebensjahr alle zwei Jahre als Kassenleistung das Recht auf eine allgemeine ärztliche Untersuchung zur Früherkennung von Krankheiten. Im Wesentlichen wird dabei auf Risikofaktoren und Frühsymptome von Herz-Kreislauf-Erkrankungen, Nierenerkrankungen und Diabetes geachtet, bevor diese „Zivilisationskrankheiten" ernste gesundheitliche Probleme bereiten. Dieser Check ist zwar freiwillig – Sie sollten die Gelegenheit aber unbedingt wahrnehmen.

TIPP

RISKIEREN SIE NICHTS!

Zu hohe Blutfettkonzentrationen gehören zu den wichtigsten Risikofaktoren für Herz-Kreislauf-Erkrankungen. Die Bestimmung der Blutfette ist der erste wichtige Schritt zur Abschätzung des individuellen Risikos – und der erste Schritt, dieses Risiko anzugehen.

Symptome für erhöhte Blutfettwerte

Wie bereits gesagt: Die auftretenden Symptome gehören nicht zur Erhöhung der Blutfettkonzentrationen selbst, sondern werden von der durch die Fette ausgelösten Arteriosklerose (s. S. 18 ff.) hervorgerufen.

■ Sind vorwiegend die Herzkranzgefäße verengt, kommt es zu den typischen Anfällen von Angina pectoris (Brustenge) mit Schmerzen hinter dem Brustbein, die nach links in den Arm, den Kiefer, aber auch in den Oberbauch ausstrahlen können – dann werden sie oft als Magen-Darm-Beschwerden fehlgedeutet. Die Anfälle treten zunächst v. a. bei größerer körperlicher Belastung auf. Wird die zugrunde liegende Erkrankung – die Fettstoffwechselstörung – nicht behandelt und schreitet die Arteriosklerose und damit die Verengung der Blutgefäße fort, treten die Anfälle zunehmend auch unter geringerer Belastung und schließlich sogar schon in Ruhe auf. Am Ende steht schlimmstenfalls ein Herzinfarkt. Andere Symptome von Seiten des Herzens können ein unregelmäßiger Herzschlag (Herzrhythmusstörungen) oder Herzschwäche (Herzinsuffizienz) mit Atemnot schon bei geringer körperlicher Anstrengung sowie Flüssigkeitsansammlungen („Wasser in den Beinen") sein.

■ Geht es in erster Linie um die Halsschlagadern oder die von ihnen abzweigenden kleineren Gefäße, die das Gehirn mit Blut versorgen, schwanken die Symptome: Sie hängen davon ab, welches Gebiet des Gehirns besonders von einem Sauerstoff- und Nährstoffmangel betroffen ist. Beispielsweise kann es zu vorübergehenden Sprach- oder Sehstörungen, Lähmungserscheinungen oder Taubheitsgefühlen kommen.

■ Auch Missempfindungen in Fingern und / oder Zehen (Prickeln, „Ameisenlaufen") sind häufige Symptome. Schwindel oder geistige „Aussetzer" bis hin zu kurzen Bewusstlosigkeiten können auftreten, die dann möglicherweise irrtümlich dem Alter zugeschrieben werden – so wird eine evtl. entscheidende Behandlung oft hinausgezögert. Ohne Therapie nimmt die Gefäßverengung immer weiter zu, und schließlich resultiert daraus im Extremfall ein Schlaganfall mit bleibenden Schäden.

Eine Behandlung sollte keinesfalls hinausgezögert werden.

Als zweiter Mechanismus kann ein durch die Arteriosklerose geschädigtes, porös gewordenes Blutgefäß einreißen: Es kommt zu einer Blutung in das Gehirn hinein, wobei die Symptome ebenfalls davon abhängen, wie viele und welche Bereiche des Gehirns geschädigt sind. Symptome sind z.B. Sprachstörungen, Lähmungserscheinungen oder Bewusstseinstrübung.

- Sind primär die Schlagadern der Beine betroffen, spricht man von einer peripheren arteriellen Verschlusskrankheit. Das Problem wird (wie beim Herzen) zunächst bei körperlicher Anstrengung deutlich: Beim Gehen treten Schmerzen in der Muskulatur des betroffenen Beins auf, die sich im Ruhezustand, also beim Stehenbleiben, bessern.

Daher rührt auch der volkstümliche Ausdruck „Schaufensterkrankheit", da die Betroffenen ihre Beschwerden häufig zu kaschieren versuchen, indem sie vorgeben, zum Betrachten von Schaufensterauslagen stehen zu bleiben. Auch hier wird die Gefäßverengung fortschreiten, wenn nicht eingegriffen wird. Die Schmerzen treten nach immer kürzeren Gehstrecken und schließlich auch in Ruhezuständen oder nachts im Liegen auf. Am Ende droht das Absterben von mehr oder weniger großen Anteilen der Beinmuskulatur – dann kommt u. U. nur noch eine Amputation infrage.

- Sind die Blutgefäße im Beckenbereich betroffen, können als erstes Symptom bei Männern Erektionsstörungen auftreten. Das ist jedoch kein Grund für falsche Scham: Wenden Sie sich an Ihren Arzt und lassen Sie die Ursachen abklären, anstatt sich uninformiert über irgendeinen „grauen Markt" nur die Symptome, jedoch nicht die Ursachen bekämpfende Medikamente zu besorgen.

- Weitere Folgen der Blutfetterhöhung können knötchenförmige Fettablagerungen in der Haut sein. Oft treten sie im Augen- und Ellenbogenbe-

Xanthome, kleine Fettknötchen im Bereich der Lider und Ellenbogen, können ein Frühsymptom einer angeborenen Fettstoffwechselstörung sein.

reich auf, aber auch an den Sehnen der Fingerrückseiten oder der Achillessehne: sogenannte Xanthome oder Xanthelasmen. Xanthome können übrigens auf eine angeborene Fettstoffwechselstörung hinweisen und treten dann häufig schon im Jugend- oder jungen Erwachsenenalter auf.

■ Leberverfettung, Gallensteine oder eine Entzündung der Bauchspeicheldrüse können ebenfalls auftreten, sind jedoch nicht sehr typisch.

■ Bei Durchblutungsstörungen im Bereich des Innenohrs kann es zu Hörstörungen oder lästigen Ohrgeräuschen (Tinnitus) kommen.

Kommt es zu einer Verschleppung von Plaqueteilen in kleinere Blutgefäße (s. S. 20), also zu einer arteriellen Embolie, entsprechen die akuten Symptome denen einer fortgeschrittenen Arteriosklerose. Es treten also beispielsweise akute Herzinfarkte oder Schlaganfälle auf.

All diese Manifestationen der Arteriosklerose sind eng miteinander verknüpft: Jede Erscheinungsform der Arteriosklerose wird als Zeichen dafür gewertet, dass das gesamte arterielle Gefäßsystem erkrankt ist. Denn die Risikofaktoren sind letztlich die gleichen: falsche und / oder zu reichliche Ernährung, mangelnde körperliche Bewegung, Rauchen und daraus resultierend Blutfetterhöhungen und Bluthochdruck. Es gilt:

■ Bei etwa einem Viertel aller Patienten kommt es nach einem Schlaganfall ohne ursächliche Behandlung innerhalb von zwei Jahren zu einer weiteren gefäßbedingten Komplikation wie einem Herzinfarkt oder Schlaganfall.

■ Nach einem Herzinfarkt ist das Risiko, einen weiteren Herzinfarkt oder einen Schlaganfall zu erleiden, ohne Behandlung dreimal so hoch wie bei Personen ohne eine solche Vergangenheit.

■ Ein Viertel bis ein Drittel aller Patienten mit Durchblutungsstörungen der Beine erleidet ohne Therapie binnen von fünf Jahren einen Herzinfarkt oder Schlaganfall.

TIPP

JETZT HANDELN

Die genannten Zahlen sollen Sie nun nicht in eine Schockstarre verfallen lassen – im Gegenteil: Sie können etwas dazu beitragen, nicht Teil dieser Statistik zu werden, indem Sie u. a. Ihre Blutfettwerte abklären lassen und ggf. etwas unternehmen, um sie dann zu senken. Es kommt auf Ihre Initiative an!

Was geschieht beim Arzt?

Wenn Sie sich nun entschlossen haben, Ihren Arzt aufzusuchen – entweder aufgrund von Beschwerden, die den Verdacht auf eine Fettstoffwechselstörung und Arteriosklerose nahelegen, für einen Routine-Check-up oder wegen einer ganz anderen Erkrankung –, geht der Arzt normalerweise folgendermaßen vor:

Er erhebt zunächst Ihre ausführliche Krankengeschichte (Anamnese), wenn er Sie noch nicht kennt. Dazu gehört auch, dass er Sie nach Risikofaktoren wie Ihren Rauchgewohnheiten sowie nach Erkrankungen Ihrer Familienangehörigen (Blutsverwandten) fragt. Hat Ihr Arzt durch Ihre Vorgeschichte oder die Ihrer Familie bereits den Verdacht auf ein Arterioskleroserisiko bei Ihnen, können hier noch gezieltere Fragen folgen, beispielsweise nach Schmerzen in der Brust (Angina pectoris), v. a. bei körperlicher Anstrengung, was ein Hinweis auf eine Verengung der Herzkranzgefäße wäre. Er fragt wahrscheinlich außerdem nach Schmerzen in den Beinen bei längerem Gehen oder auch im Ruhezustand – als Hinweis auf eine periphere arterielle Verschlusskrankheit (pAVK) – oder nach auftretendem Schwindel, kurzer Bewusstlosigkeit, vorübergehenden Lähmungserscheinungen oder Gefühlsstörungen. Letzteres wäre ein deutlicher Hinweis auf eine Verengung der Halsschlagadern.

Es folgt eine gründliche körperliche Untersuchung mit dem Abhören von Herz und Lunge, dem Abtasten des Bauchbereichs und der Messung des Pulses an Hals, Handgelenken, in der Leiste und an den Füßen. Sollten Sie bereits einmal kleine gelb-orangefarbene Knötchen (Xanthome), v. a. an Augen und Ohren, bemerkt haben, kann dies ein Zeichen für eine Fettstoffwechselstörung sein. Fragen Sie Ihren Arzt bei dieser Gelegenheit ausdrücklich danach! Anschließend werden Taillen- und Hüftumfang bestimmt, und dann müssen Sie auf die Waage. Dies dient zur Berechnung der sogenannten Waist-to-Hip-Ratio (WHR, bezeichnet das Verhältnis von Taillen- zu Hüftumfang), die sich als ebenso guter (wenn nicht sogar besserer) Hinweis auf schädliche Fettablagerungen erweisen kann wie der Body Mass Index (BMI, s. S. 32).

Ein hoher WHR-Wert kann auf gefährliche Fettablagerungen hindeuten.

BMI

Der BMI berechnet sich nur aus dem Körpergewicht und der Körpergröße, unabhängig davon, wie dieses Gewicht am Körper verteilt ist. Es gilt:

$$BMI = \frac{\text{Körpergewicht in Kilogramm}}{(\text{Körpergröße in Metern})^2}$$

Bei der Berechnung ist zu beachten: Die Quadrierung muss vor der Teilung durchgeführt werden.

Beispiel: Monika S. ist 1,68 Meter groß und wiegt 65 Kilogramm. Ihr BMI errechnet sich dann wie folgt:

1,68 x 1,68 = 2,82.

65 dividiert durch 2,82 ergibt 23,1.
Der BMI liegt also im Normalbereich, der zwischen 18,5 und 24,9 festgelegt wurde.

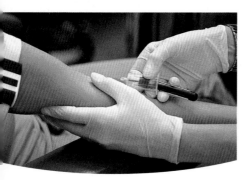

Bestimmung der Blutfettwerte

Nun können mit diesen Untersuchungen keine Aussagen über die Höhe der Blutfettkonzentrationen getroffen werden. Allenfalls können sie in der Vorgeschichte Hinweise auf eine möglicherweise daraus entstandene Arteriosklerose geben, beispielsweise bei einer Angina pectoris, hervorgerufen durch Belastung oder einem ungewöhnlichen Pulsbefund bei der körperlichen Untersuchung. Sichere Aussagen zur Cholesterin- und Triglyzeridkonzentration können nur anhand einer Blutuntersuchung getroffen werden.

Vorgehen bei der Untersuchung
Das Blut dafür wird nach zwölf- bis 14-stündigem Fasten entnommen, da nach Mahlzeiten durch deren unterschiedliche Fettgehalte keine einheitlichen Normbereiche festgelegt werden können. Außerdem sollte der Patient 24 Stunden vorher keine schwere körperliche Arbeit geleistet oder Sport getrieben haben.

Bei der Blutabnahme sollte das Blut in den Venen durch den sogenannten „Stauschlauch" nicht länger als eine Minute gestaut werden, da sonst die Werte möglicherweise verfälscht sein können. Bestimmt werden sollten immer die Werte von Gesamtcholesterin, LDL- und HDL-Cholesterin sowie der Triglyzeride.

- Der Wert des LDL-Cholesterins gibt Auskunft darüber, wie viel „schlechtes", also gefäßschädigendes, Cholesterin im Blut vorhanden ist.
- Die Konzentration des HDL-Cholesterins macht eine Aussage über den gefäßschützenden Cholesterinanteil.

Der Wert der Triglyzeride (oder Neutralfette) kann in erhöhtem Zustand einen Hinweis auf eine andere vorhandene Stoffwechselstörung geben, die weiter untersucht und behandelt werden sollte, beispielsweise eine akute Entzündung der Bauchspeicheldrüse. Bei einer sehr starken Triglyzeriderhöhung kann es zusätzlich auch zu einem Anstieg der Cholesterinkonzentration kommen.

Verschiedene Blutfettkonzentrationen

Die Gesamtcholesterinkonzentration bietet einen ersten Anhaltspunkt: 200 Milligramm pro 100 Milliliter Blut sollten nicht überschritten werden. Aber auch bei einem solchen „Normalbefund" sollte eine Bestimmung der Cholesterin-Unterformen erfolgen, denn bei einer verminderten HDL-Cholesterinkonzentration kann der Gesamtcholesterinwert normal erscheinen, obwohl ein zu niedriges HDL-Cholesterin ebenso einen Risikofaktor für die Arteriosklerose darstellt. Außerdem kann bei zu niedrigen Werten von HDL-Cholesterin das LDL-Cholesterin natürlich erhöht sein, ohne dass sich dies in der Gesamtcholesterinkonzentration widerspiegelt.

Es sollten grundsätzlich die Gesamtcholesterin- sowie HDL- und LDL-Cholesterinkonzentration bestimmt werden.

Beispiel: Josef M. hat folgende Cholesterinwerte:

Gesamtcholesterin = 270 Milligramm pro 100 Milliliter Blut

LDL-Cholesterin = 170 Milligramm pro 100 Milliliter Blut

HDL-Cholesterin = 70 Milligramm pro 100 Milliliter Blut

Obwohl die Gesamtcholesterinkonzentration von Herrn M. also deutlich im bedenklichen Bereich liegt, ist er aufgrund der hohen HDL-Cholesterinkonzentration und des daraus resultierenden Quotienten von 2,4 weniger durch Folgeerkrankungen gefährdet als ein Patient mit dem gleichen Gesamtcholesterinspiegel, der aber einen höheren LDL-HDL-Quotienten hat (zur Berechnung vgl. Infokasten S. 34).

Eine Orientierung über optimale, grenzwertige und bedenklich hohe Blutfettkonzentrationen gibt die folgende Tabelle 2. Diese Werte gelten, wenn Sie ansonsten maximal einen (weiteren) Risikofaktor für Herz-Kreislauf-Erkrankungen mitbringen. Genaueres zu diesen Zielbereichen finden Sie im Abschnitt „Gleich und doch nicht gleich" (s. S. 37 ff.). Grundsätzlich gilt: Je niedriger der Wert des „schlechten" LDL- und je höher der des HDL-Cholesterins sind, desto besser ist das für Herz und Kreislauf.

Laut dem Bericht des Robert Koch-Instituts „Gesundheit in Deutschland" von 2006 haben sieben von zehn Erwachsenen in der BRD eine Cholesterinkonzentration über dem Zielwert.

Die Grenzbereiche sind darüber hinaus nicht in Stein gemeißelt – tendenziell werden heute aufgrund neuerer Studienergebnisse geringere Cholesterinwerte angestrebt als vergleichsweise noch vor zehn oder 15 Jahren. Wichtig ist auch das Verhältnis von HDL- und LDL-Cholesterin. Es gibt Auskunft über die Ausgewogenheit der Blutfette. Ist deren Wert erhöht, sollte der Anteil des HDL-Cholesterins wegen seiner positiven Wirkung auf arteriosklerotische Plaques möglichst hoch, der des LDL-Cholesterins dagegen eher niedrig liegen. Auch erhöhte Triglyzeride sind gefährlich. Studien haben gezeigt, dass eine erhöhte Triglyzeridkonzentration unabhängig von den Cholesterinwerten einen Risikofaktor für Herz-Kreislauf-Erkrankungen wie Herzinfarkte darstellt. Fragen Sie Ihren Arzt also auch nach Ihrer Triglyzeridkonzentration!

TABELLE 2: ZIELBEREICHE FÜR CHOLESTERIN UND TRIGLYZERIDE (WERTE JEWEILS IN MILLIGRAMM PRO 100 MILLILITER BLUT)

Fettstoff	optimaler Wert	Grenzwert	bedenklicher Wert
Gesamtcholesterin	unter 200	200 bis 240	über 240
LDL-Cholesterin	unter 100	100 bis 150	über 150
HDL-Cholesterin	über 60	40 bis 60	unter 40
Triglyzeride	unter 150	150 bis 200	über 200
Verhältnis LDL-Cholesterin/HDL-Cholesterin	unter drei	drei bis vier	deutlich über vier

Ein Wort noch zur Einheit, in der Ihnen Ihr Arzt die Cholesterinwerte mitteilt bzw. in der diese in einen Cholesterinpass eingetragen werden: In Deutschland wird vielfach die Einheit „Milligramm (mg) pro 100 Milliliter (ml) Blut (auch „pro Deziliter" = dl) verwendet. Eine andere Einheit, die auch international häufiger zum Einsatz kommt, sind Millimol (mmol) pro Liter (l). Damit Sie Ihre Werte jederzeit vergleichen können, finden Sie als Tipp auf S. 35 zwei einfache Umrechnungsformeln für den Taschenrechner. Eine einmalig gemessene Erhöhung der Blutfettwerte ist noch keine Diagnose. Wird eine Abweichung von den Zielbereichen festgestellt, so ist zunächst noch keine Aussage möglich, ob eine Erkrankung vorliegt. Erst wenn bei zwei- oder dreimaliger Wiederholung noch immer Abweichungen festgestellt werden, besteht Handlungsbedarf.

Umrechnen leicht gemacht

Cholesterinwert in Milligramm pro Deziliter = 39 x festgestellter Cholesterinwert in Millimol pro Liter.

Und umgekehrt:

$$\text{Cholesterinwert in Millimol pro Liter} = \frac{\text{festgestellter Cholesterinwert in Milligramm pro Deziliter}}{39}$$

Für die Triglyzeride gilt:

Triglyzeride in Milligramm pro Deziliter = 88 x Triglyzeride in Millimol pro Liter.

Und umgekehrt:

$$\text{Triglyzeride in Millimol pro Liter} = \frac{\text{Triglyzeride in Milligramm pro Deziliter}}{88}$$

TIPP

REGELMÄSSIGE KONTROLLEN SOLLTEN SEIN

Wenn die Bestimmung Ihrer Blutfettwerte optimale Ergebnisse gezeigt hat, ist das natürlich ausgezeichnet! Dies weist zunächst auf ein geringes Risiko für Folgeerkrankungen eines erhöhten Cholesterinspiegels hin. Trotzdem sollten Sie die Kontrollen in regelmäßigen Abständen wiederholen lassen, etwa alle zwei Jahre; denn auch gute Werte können sich natürlich ändern. Ausschlaggebend sind auch Ihr Lebensstil und Ihre Ernährungsweise in den folgenden Monaten. Kontrollen sind insbesondere dann erforderlich – und dann auch häufiger – wenn sich bestimmte Lebensumstände ändern (beispielsweise deutliche Gewichtszunahme, Beginn der Wechseljahre, erhöhter Zigarettenkonsum, Auftreten von Bluthochdruck). Sollten bereits die Ausgangswerte bei der ersten Untersuchung erhöht sein, sind regelmäßige Kontrollen ohnehin selbstverständlich.

Transfettsäuren

Über Transfettsäuren und das durch sie entstehende Gesundheitsrisiko ist in den letzten Jahren häufig diskutiert worden. Was sind Transfettsäuren (engl.: trans fatty acids, TFA), woher kommen sie und warum sollte man – laut der Deutschen Gesellschaft für Ernährung (DGE) – den Verzehr von TFA enthaltenden Nahrungsmitteln am besten einschränken?

Was sind Transfettsäuren?

TFA sind einfach oder mehrfach ungesättigte Fettsäuren, deren Doppelbindung(en) eine bestimmte räumliche Anordnung (eine sogenannte „trans-Anordnung") annehmen. Im Gegensatz zu den „normalen" ungesättigten Fettsäuren, die sich positiv auf den Blutfettgehalt auswirken, da sie die LDL-Cholesterinkonzentration im Blut senken, erhöhen die TFA dieses Cholesterin sowie die Triglyzeride. Sie senken den Gehalt an gefäßschützendem HDL-Cholesterin und erhöhen damit das Risiko für eine Arteriosklerose.

Woher kommen Transfettsäuren?

TFA entstehen bei der Härtung von Pflanzenölen in der Lebensmittelindustrie, aber auch in der eigenen Küche, wenn eigentlich gesunde Pflanzenöle mit einem hohen Anteil an mehrfach ungesättigten Fettsäuren (wie Linolsäure) beim Braten oder Frittieren stark erhitzt werden (das kann ab etwa 130 Grad Celsius, was leicht erreicht wird, der Fall sein).

Und was soll man nun essen?

Die Deutsche Gesellschaft für Ernährung empfiehlt, dass in der täglichen Nahrung möglichst wenig Transfettsäuren enthalten sein sollten. Am besten meiden kann man sie durch Zurückhaltung bei frittierten Produkten, Pommes frites, Blätterteig und Tütensuppen.

Achten Sie bei verpackten Lebensmitteln auf die Zutatenliste: Die Angaben „enthält gehärtete Fette" oder „pflanzliches Fett, z. T. gehärtet" sind ein Hinweis auf TFA. Einen geringen Gehalt an TFA haben beispielsweise Reform- und Diätmargarine. Zum Braten eignen sich Oliven- und Rapsöl, für Salate sind kalt gepresste Pflanzenöle (natives Olivenöl) optimal.

Gleich und doch nicht gleich: verschiedene Konstellationen – unterschiedliche Risiken

Es gibt keine einheitlichen Zielwerte für die Blutfettwerte, v. a. nicht für Cholesterin. Wie zu Tabelle 2 auf S. 34 schon erwähnt, gelten die dort angegebenen Grenzwerte nicht immer und nicht für alle Menschen. Welche Zielwerte für Gesamtcholesterin, LDL- und HDL-Cholesterin und auch für die Triglyzeride angestrebt werden sollten und wie dies erreicht wird (ob durch Lebensstiländerung allein oder mit Medikamenten), richtet sich nach dem jeweiligen individuellen Risiko der Betroffenen. Optimalerweise lassen Sie also nicht nur Ihr Blutfettprofil regelmäßig von Ihrem Arzt überprüfen, sondern auch die beeinflussbaren Risikofaktoren, die die Schäden durch eine erhöhte Blutfettkonzentration bzw. Arteriosklerose noch erhöhen können (s. u.).

Nicht nur Blutfette, sondern auch Risikofaktoren wie Bluthochdruck, Diabetes etc. sollten regelmäßig überprüft werden.

Die Gesamtbetrachtung zählt

Nun ist es sicher zu kurz gegriffen, das Risiko für Herz-Kreislauf-Erkrankungen allein an den Blutfettwerten festzumachen. Stattdessen muss das Risikoprofil insgesamt betrachtet werden. Dazu gehören auch Blutdruck, Blutzucker, familiäre Vorbelastung, Rauchgewohnheiten und viele andere Faktoren. Im Zusammenspiel dieser Risikofaktoren haben die Ergebnisse der Blutfettmessungen aber eine hohe Aussagekraft.

Besonders wichtig sind Blutfettmessungen für Menschen, die noch andere Risikofaktoren aufweisen oder bei denen Familienangehörige (Blutsverwandte ersten Grades: Eltern und Geschwister) an einer Erkrankung des Herz-Kreislauf-Systems leiden. Das gilt insbesondere, wenn solche Erkrankungen schon in relativ jungem Alter aufgetreten sind:

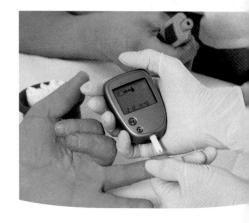

- bei Männern vor dem 55. Lebensjahr und
- bei Frauen vor dem 65. Lebensjahr.

Es gibt wichtige Faktoren, die für das Risiko durch eine gegebene Konzentration der Blutfette ausschlaggebend sind.

- Wichtig ist z. B. das Geschlecht: Männer sind stärker gefährdet und sollten daher niedrigere Zielwerte anstreben.
- Auch das individuelle Alter spielt eine wichtige Rolle: Besonders Männer ab dem 45. Lebensjahr und Frauen ab dem 55. Lebensjahr sind gefährdet.

Die Faktoren Alter und Geschlecht sind naturgemäß nicht beeinflussbar.

Die folgenden Faktoren jedoch können sehr wohl beeinflusst werden:

- Rauchen
- Übergewicht
- mangelnde körperliche Aktivität
- Einnahme der Pille
- nicht oder nicht zufriedenstellend behandelter Bluthochdruck
- nicht oder nicht zufriedenstellend behandelter Diabetes mellitus

INFO

DAS RISIKO STEIGT EXPONENTIELL

Das Fatale am Zusammenwirken mehrerer Risikofaktoren ist, dass sich mit jedem zusätzlichen Gefahrenfaktor das Gesamtrisiko nicht einfach verdoppelt, sondern meist um ein Vielfaches erhöht.

Wer ist besonders gefährdet?

Zwei Risikogruppen sind von besonderer Bedeutung, wenn es um die Schädigung durch eine Fettstoffwechselstörung geht: Patienten, die bereits an einer Herz-Kreislauf-Erkrankung, also an einer koronaren Herzkrankheit, einer Verengung der Halsschlagadern oder einer peripheren arteriellen Verschlusskrankheit leiden. Sie haben ein hohes Risiko, weitere Komplikationen von Seiten des Herzens oder der Gefäße zu erleiden, wenn die Blutfettwerte zu hoch sind. Es kann beispielsweise zu einem Herzinfarkt oder Schlaganfall kommen. Hier muss auf besonders strenge Zielwerte für Gesamtcholesterin und LDL-Cholesterin geachtet werden.

Auch Diabetiker sind Risikopatienten, bei denen die Blutfettwerte besonders wichtig sind. Denn ein entgleister Blutzuckerstoffwechsel wirkt sich ähnlich schädigend auf die Blutgefäßwände aus wie die Arteriosklerose.

Außerdem werden durch die Zuckerkrankheit die Gefäße für die Entstehung von arteriosklerotischen Plaques noch anfälliger – das Risiko potenziert sich also. Wissenschaftliche Untersuchungen haben gezeigt, dass das Herz-Kreislauf-Risiko eines Patienten mit Diabetes bereits so hoch ist wie das eines Nichtdiabetikers, der bereits einen ersten Herzinfarkt erlitten hat. Entsprechend gelten für Patienten mit Diabetes besonders strenge Cholesterin-Zielwerte. Einen kleinen Überblick über anzustrebende Zielwerte für die jeweilige Risikosituation gibt die folgende Tabelle 3.

TIPP

DER BEFUND ZÄHLT

Bitte bedenken Sie: Einzig und allein ausschlaggebend für die Einschätzung Ihres Herz-Kreislauf-Zustandes sind die Befunde, die Ihr Arzt – der Sie und Ihre Familie möglicherweise schon lange kennt und behandelt – für Sie individuell und persönlich erhebt, keine Tabelle in keinem Buch, auch diese hier nicht. Sie können die angegebenen Werte zwar als erste Orientierung heranziehen und ggf. natürlich auch zu Ihrem Arztbesuch mitnehmen, mehr aber nicht.

TABELLE 3: SIE SIND GESUND UND HABEN KEINEN RISIKOFAKTOR? DANN GILT FÜR SIE:

Gesamtcholesterinwert	unter 200 Milligramm pro Deziliter
Wert des LDL-Cholesterins	unter 160 Milligramm pro Deziliter
Wert des HDL-Cholesterins	mindestens 40 Milligramm pro Deziliter
Wert der Triglyzeride	unter 150 Milligramm pro Deziliter
Verhältnis LDL- zu HDL-Cholesterin	maximal 4
Haben Sie Risikofaktoren, aber keine koronare Herzerkrankung? Dann gilt:	
Gesamtcholesterinwert	unter 200 Milligramm pro Deziliter
Wert des LDL-Cholesterins	unter 130 Milligramm pro Deziliter
Wert des HDL-Cholesterins	mindestens 40 Milligramm pro Deziliter
Wert der Triglyzeride	unter 150 Milligramm pro Deziliter
Verhältnis LDL- zu HDL-Cholesterin	maximal etwa 3,5
Sie haben bereits eine Gefäßerkrankung oder leiden an Diabetes mellitus?	
Gesamtcholesterinwert	unter 180 Milligramm pro Deziliter
Wert des LDL-Cholesterins	unter 100 Milligramm pro Deziliter (oft wird sogar unter 70 gefordert)
Wert des HDL-Cholesterins	mindestens 40 Milligramm pro Deziliter
Wert der Triglyzeride	unter 150 Milligramm pro Deziliter
Verhältnis LDL- zu HDL-Cholesterin	maximal 3

Wissenschaftliche Untersuchungen

Ob für das LDL-Cholesterin die Aussage „Je niedriger, desto besser" gilt und welche Werte v. a. bei Risikopatienten anzustreben sind, wird derzeit weiter erforscht.

Grundlage solcher Tabellen sind Ergebnisse aus umfassenden wissenschaftlichen Untersuchungen mit vielen Patienten, aber auch Gesunden, die gezeigt haben, ab welchen Blutfettwerten man mit Gefäßschädigungen rechnen muss bzw. ab welchem Wert man weiterführende Untersuchungen veranlassen sollte. Erhöhte Blutfettwerte sind dadurch als ein wichtiger Risikofaktor für Herz-Kreislauf-Erkrankungen gesichert worden.

Eine solche Studie war die PROCAM-Studie (Prospective Cardiovascular Münster Study), an der zwischen 1978 und 2007 an der Universität Münster 50.000 Personen teilgenommen hatten. Im Rahmen einer detaillierten Vorsorgeuntersuchung für Herzinfarkt oder Schlaganfall wurde der Gesundheitsstatus der Studienteilnehmer festgestellt und alle vier Jahre mittels eines Anschreibens überprüft, ob und wenn ja, welche Erkrankungen zwischenzeitlich aufgetreten waren.

Anhand dieser Untersuchungen konnten Unterschiede beim Auftreten und beim Ausmaß der einzelnen Risikofaktoren zwischen Patienten, die im Zeitraum von zehn Jahren an einem Herzinfarkt oder Schlaganfall erkrankt oder an einer koronaren Herzkrankheit oder einem Schlaganfall gestorben waren, und Patienten ohne derartige Ereignisse festgestellt werden. Daraus wurde letztendlich auf die heute akzeptierten Risikofaktoren für einen Herzinfarkt geschlossen.

Besonders wichtig dabei ist, dass man das Risiko für einen Herzinfarkt oder Schlaganfall nicht auf Grundlage eines einzelnen Risikofaktors angeben kann, sondern immer das individuelle Gesamtrisiko bestimmen muss, das alle Risikofaktoren mit einbezieht. Mittels der PROCAM-Tests kann ein Erkrankungsrisiko früh erkannt und rechtzeitig vorbeugende Maßnahmen ergriffen werden, insbesondere bei Personen mit hohem Risiko, die aber oft klinisch (noch) beschwerdefrei sind.

TIPP

DAS INDIVIDUELLE RISIKO KENNEN UND SENKEN

Aufgrund der PROCAM-Studie wurden verschiedene Tests entwickelt, anhand derer Ihr Arzt Ihr individuelles Herzinfarkt- und Schlaganfallrisiko berechnen kann – so ist ein frühzeitiges Gegensteuern bei den beeinflussbaren Risiken möglich. Fragen Sie Ihren behandelnden Arzt danach.

Weitere Blutuntersuchungen

Es gibt noch eine Reihe weiterer Faktoren im Blut, die sich auch auf das Risiko für Herz-Kreislauf-Erkrankungen bei erhöhten Blutfettwerten auswirken.

Sie müssen nicht unbedingt bestimmt werden, wenn Ihre Blutfettwerte in Ordnung sind und Sie auch sonst keine Risikofaktoren wie Rauchen, Diabetes o. Ä. aufweisen. Grundsätzlich ist eine einmalige Messung (beispielsweise beim Check-up 35, s. S. 27) jedoch sinnvoll, da ihr Verlauf über die Jahre ebenfalls wichtige Aussagen über Ihren Gesundheitszustand ermöglichen kann. Zu diesen Blutfaktoren gehören folgende:

Lipoprotein(a)

Ein weiteres Lipoprotein, das in den letzten Jahren immer mehr Beachtung erfährt, ist das Lipoprotein(a), kurz Lp(a), (aus dem Englischen von „lipoprotein-associated antigen"). Es ähnelt den LDL, hat sich aber mittlerweile als weiterer, von den anderen Blutfettwerten unabhängiger Risikofaktor für Herz-Kreislauf-Erkrankungen etabliert.

Das Lipoprotein(a) ähnelt den LDL.

Das Bedeutsame am Lipoprotein(a) ist seine chemische Verwandtschaft zu Plasminogen, einem sehr wichtigen Blutgerinnungsfaktor. Dementsprechend kann Lipoprotein(a) nicht nur wie LDL-Cholesterin die Arteriosklerose fördern, sondern zusätzlich durch eine Aktivierung des Blutgerinnungssystems die Thrombosebildung in arteriosklerotischen Plaques beschleunigen und sie auch verstärken.

Homozystein

Homozystein ist eine Aminosäure, die im Körper jedoch nicht (wie andere Aminosäuren) direkt zum Aufbau von Eiweißen benutzt werden kann. Sie wird daher in andere Aminosäuren umgebaut oder im Urin ausgeschieden. Geschieht das aber nicht in ausreichendem Maß, bleibt also die Konzentration von Homozystein im Blut erhöht. Dann kann auch dieser Stoff sich zusammen mit dem LDL-Cholesterin in den Gefäßwänden ablagern, zur Entstehung von Arteriosklerose beitragen und auch das Risiko von Thrombosen erhöhen. Wenn die Homozysteinkonzentration bei Ihnen bestimmt werden soll, müssen Sie wie zur Abnahme aller Blutfettwerte nüchtern sein.

> **INFO**
>
> # METHIONIN
>
> Methionin ist eine schwefelhaltige Aminosäure und dementsprechend in vielen eiweißhaltigen Lebensmitteln enthalten.

Sie sollten dann nüchtern sein und in den zwei oder drei Tagen vor der Untersuchung eine an Methionin (s. Infokasten auf S. 41) arme Kost zu sich nehmen. Ansonsten erscheint der Homozysteinspiegel möglicherweise künstlich erhöht.

C-reaktives Protein (CRP)

Das C-reaktive Protein (CRP) ist ein Eiweißstoff im Blut, dessen Konzentration normalerweise bei Entzündungen ansteigt. Da die Arteriosklerose auch teilweise als entzündliche Erkrankung aufgefasst wird (zur Erinnerung: Auch Entzündungszellen spielen bei der Entstehung einer arteriosklerotischen Plaque eine Rolle), könnte man nun einfach die Konzentration des CRP im Blut messen und damit eine Information darüber bekommen, wie sich die Arteriosklerose entwickelt. Aktuelle Studien weisen nach, dass CRP einen unabhängigen Risikofaktor für die Entwicklung von Schlaganfällen, Herzinfarkten und auch von anderen arteriosklerotischen Folgeerkrankungen darstellt.

Fragen Sie Ihren Arzt, ob die Bestimmung von Homozystein, Lipoprotein(a) und hochsensitivem CRP bei Ihnen sinnvoll sein könnte.

Leider ist es aber doch nicht so einfach: Da CRP bei allen Entzündungen ansteigt – also auch, wenn Sie eine eitrige Halsentzündung oder einen Magen-Darm-Infekt haben – reicht das „normale" CRP für die Untersuchung der Arteriosklerose nicht aus. Wissenschaftler haben daher einen Test für eine Art „arteriosklerose-spezifisches" CRP, das sogenannte hochsensitive CRP, entwickelt. Anhand dessen Konzentration im Blut lässt sich der Verlauf der Erkrankung beurteilen.

Fachgesellschaften in Europa und den USA empfehlen, zumindest bei den folgenden Risikokonstellationen auch die Konzentration dieser weiteren Risikostoffe im Blut zu bestimmen:

- zwei oder mehr Herz-Kreislauf-Ereignisse (d. h., Herzinfarkt, Schlaganfall o. Ä.) in den vergangenen zwei Jahren
- eine fortschreitende Herz-Kreislauf-Erkrankung trotz Behandlung anderer Risikofaktoren
- Herz-Kreislauf-Erkrankungen vor dem 50. Lebensjahr trotz Behandlung vorhandener Risikofaktoren oder eine
- familiäre Belastung für das Auftreten von Herz-Kreislauf-Erkrankungen

██ CHECKLISTE

DAS ARZTGESPRÄCH ZUM THEMA BLUTFETTWERTE

Wenn Sie den konkreten Verdacht haben, an einer Fettstoffwechselstörung zu leiden, beispielsweise weil Sie kleine, gelbliche Knötchen im Gesicht festgestellt haben, die Sie früher nicht hatten, können Sie sich mithilfe der folgenden Checkliste schon einmal auf den Arztbesuch und Ihre Fragen an den Arzt vorbereiten.

Wenn Sie kein „routinierter" Arztbesucher sind, geht es Ihnen möglicherweise wie vielen Menschen: Sie denken in der ungewohnten Situation, vielleicht auch mit ein bisschen Angst: „Was wird der Arzt denn wohl finden?".

Möglicherweise vergessen Sie dann beim Anblick hektisch vorbei eilender weiß bekittelter Menschen vieles von dem, was Sie eigentlich erwähnen und fragen wollten. Nehmen Sie diese Liste zum Arztbesuch mit – auf diese Art wird die Möglichkeit zumindest geringer, dass Sie Wesentliches vergessen. Und Sie können die Liste natürlich jederzeit nach Ihren persönlichen Bedürfnissen und entsprechend individueller Erkrankungen erweitern.

Eine vorbereitete Fragenliste nimmt Ihnen evtl. die Aufregung beim Arztgespräch.

Die folgenden Fragen helfen Ihnen weiter:

- Wie hoch sind meine Gesamtcholesterinwerte und die Werte des LDL- und HDL-Cholesterins sowie der Triglyzeride im Moment?
- Welche Werte sollte ich jeweils erreichen? In welchem Zeitraum?
- Was passiert, wenn es nicht gelingt, meine Werte in den Zielbereich zu senken?
- Was kann ich selbst tun, um meine Blutfettwerte zu verbessern?

Untersuchungen auf Folgeerkrankungen

Wurde bei den Laboranalysen eine Erhöhung der Blutfettkonzentration festgestellt, wird nun Ihr Arzt möglicherweise weitere Untersuchungen vornehmen. Diese werden individuell auf Ihre Situation zugeschnitten; wichtig ist beispielsweise, ob Sie an anderen Erkrankungen wie Bluthochdruck oder Diabetes mellitus leiden. Da die Fettstoffwechselstörung ein Hinweis auf eine schon länger bestehende Arteriosklerose sein kann, die ja wie gesagt keine Beschwerden verursachen muss, wird nun Ihr Blutgefäßsystem im Speziellen betrachtet. Dazu gehören die folgenden Blutgefäße:

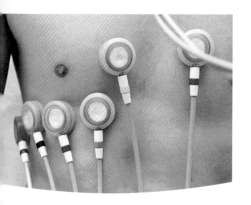

■ Die Blutgefäße des Herzens: Zunächst wird ein EKG (Aufzeichnung der Herzstromkurve) angefertigt. Es kann die Funktion der Herzkranzgefäße (Koronararterien) widerspiegeln, eine mögliche Vergrößerung des Herzmuskels als Anzeichen einer vermehrten Belastung oder als Signal für Herzrhythmusstörungen erkennen. Ein Belastungs-EKG gibt Aufschluss darüber, wie sich Herz und Koronararterien an erhöhte Anforderungen anpassen, ob sie den höheren Blutbedarf decken können oder ob eine bereits bestehende Einengung der Herzkranzgefäße eine solche Anpassung unmöglich macht.

■ Die Blutgefäße am Hals (Halsschlagadern) und an den Beinen (Schenkelschlagadern) werden mittels einer speziellen Ultraschalluntersuchung (Doppler-Sonografie) an verschiedenen Orten (seitlicher Hals, Leiste, Kniekehle, Füße) auf ihre Durchgängigkeit oder eventuelle Verengungen hin geprüft. Zusätzlich wird ein Blick auf die Bauchschlagader geworfen: Hier kann es zu einer sackförmigen Erweiterung des Gefäßes (Aneurysma) kommen. Dieses kann im Extremfall reißen.

■ Auch das direkte Ausmaß der Arteriosklerose lässt sich heute messen: Mit einer speziellen Ultraschalltechnik wird die Dicke der Wand der Halsschlagader bestimmt. Sie ist, wie in jeder Arterie, in drei Schichten aufgebaut: die innere Schicht („Intima"), die mittlere Schicht („Media") und die äußere Schicht („Adventitia"). Für die Abschätzung des Arteriosklerose-Ausmaßes sind nur die beiden inneren Schichten von Bedeutung, weil die beschriebenen arteriosklerotischen Plaques in der Intima beginnen und von dort an auch die Media (mit den in ihr enthaltenen Muskelzellen) mit beteiligen. Je dicker Intima und Media sind, desto weiter ist die Arteriosklerose fortgeschritten. Der dazugehörige Messwert ist die Intima-Media-Dicke. Normalwerte liegen hier bei weniger als einem Millimeter für Männer zwischen 40 und 70 Jahren. Für Frauen im Alter zwischen 40 und 54 Jahren gelten schon Messwerte von über 0,85 Millimetern als Hinweis auf eine Arteriosklerose. Mit zunehmendem Alter steigt dieser Grenzwert dann auch für Frauen auf einen Millimeter und mehr an.

Die Plaque beginnt in der Intima und erreicht auch die Media-Schicht und deren Muskelzellen.

44

Nach Abschluss dieser weiterführenden Untersuchungen sind evtl. noch weitere diagnostische Maßnahmen erforderlich, beispielsweise Angiografien, also das Anfertigen von Abbildungen der betroffenen Blutgefäße. Dabei wird ein Kontrastmittel in das Blutgefäß gespritzt, und anschließend werden Röntgenaufnahmen angefertigt. Beispiele sind Koronarangiogramme („Herzkatheter") oder Angiogramme der Beinschlagadern.

INFO

MESSUNG ALS THERAPIE-ÜBERWACHUNG

Die Änderung – Abnahme oder Zunahme – der Intima-Media-Dicke kann als Parameter dafür verwendet werden, ob eine cholesterinsenkende Behandlung erfolgreich ist oder evtl. geändert werden muss.

Das Wichtigste auf einen Blick

Warum soll ich eigentlich meinen Cholesterinspiegel messen lassen – ich habe doch keine Beschwerden?

Erhöhte Cholesterinkonzentrationen im Blut sind ein Hauptrisikofaktor für eine Arteriosklerose und damit für Herz-Kreislauf-Erkrankungen. Leider verursachen erhöhte Blutfettkonzentrationen im Frühstadium keine Beschwerden, können aber trotzdem schädliche Auswirkungen auf das Blutgefäßsystem haben. Daher sollten Sie Ihren Gesamtcholesterinwert – und am besten auch die Werte der „Untergruppen" HDL- und LDL-Cholesterin (s. S. 14) sowie die Konzentration der Triglyzeride (s. S. 10 ff.) – regelmäßig kontrollieren lassen. Optimalerweise machen Sie das bei Ihrem Arzt. Er kann die Messergebnisse am besten in der Zusammenschau und im Kontext mit Ihren Risikofaktoren interpretieren und sie dann in Bezug auf Ihre individuelle Situation beurteilen.

Welche Symptome deuten auf eine Fettstoffwechselstörung hin?

Wie gesagt – die Fettstoffwechselstörung selbst, also eine erhöhte Konzentration von Cholesterin und / oder Triglyzeriden im Blut, verursacht keine Beschwerden. Erst wenn die Fettablagerungen in den Gefäßwänden die Blutgefäße so verengt haben, dass der Blutzufluss zu wichtigen Organen gestört ist, sind Symptome erkennbar.

Das können bei Verengungen der Herzkranzgefäße Brustschmerzen (hinter dem Brustbein gelegen, mit Ausstrahlung in den linken Arm oder Kiefer) sein. Bei einer Verengung der Halsschlagadern treten vielleicht Schwindelanfälle, kurze Bewusstseinsstörungen, vorübergehende Lähmungs- oder Gefühlsstörungen auf. Bei Verengungen der Beinschlagadern bekommen Sie Schmerzen, wenn Sie längere Strecken gehen.

All das aber sind Spätsymptome – lassen Sie es in Ihrem Interesse nicht so weit kommen und nehmen Sie Früherkennungsuntersuchungen wahr.

Wie hoch darf mein Cholesterinwert sein?

Nach den Empfehlungen der Deutschen Gesellschaft für Kardiologie sollte der Gesamtcholesterinwert unter 200 Milligramm pro 100 Milliliter Blut liegen. Dieser Wert dient zur ersten Orientierung. Liegt er darüber, sollten auch das HDL- und LDL-Cholesterinkonzentrationen bestimmt werden. Nähere Informationen zu genauen Werten finden Sie auf S. 33.

Grundsätzlich gilt: Je niedriger die Konzentration des „schlechten" LDL-Cholesterins ist, desto besser ist es für Ihr Herz und Ihren Kreislauf. Sie sollte maximal 150 Milligramm pro 100 Milliliter Blut betragen, wenn bei Ihnen kein oder ein weiterer Risikofaktor (beispielsweise Bluthochdruck, Rauchen) vorliegt. Wenn jedoch zwei oder mehr Risikofaktoren vorliegen, sollte der Wert des LDL-Cholesterins noch niedriger sein (unter 130 Milligramm pro Deziliter). Leiden Sie bereits an einer Herz-Kreislauf-Erkrankung (beispielsweise an Angina pectoris) oder haben Sie bereits einen Herzinfarkt oder Schlaganfall erlitten, dann ist ein Wert unter 100 Milligramm pro 100 Milliliter Blut Ihr Zielwert.

Im Gegensatz dazu gilt für das gefäßschützende, „gute" HDL-Cholesterin, dass hohe Werte günstig sind. Die Konzentration des HDL-Cholesterins sollte mindestens 40 Milligramm pro 100 Milliliter Blut betragen. Je höher der Wert ist, desto besser ist der Schutz für die Blutgefäße.

Reicht denn nicht die Bestimmung des Gesamtcholesterins?

Bei der Erstuntersuchung wird tatsächlich oft nur die Gesamtcholesterinkonzentration gemessen: einerseits, weil sie einfacher ist, andererseits, weil unter einem Wert von 200 Milligramm pro 100 Milliliter Blut das Risiko für Gefäßerkrankungen als gering erachtet wird. Eine HDL-Cholesterinbestimmung schien daher früher nicht unbedingt notwendig.

Erst ab Cholesterinwerten über 200 Milligramm pro 100 Milliliter Blut wurde dann auch der HDL-Anteil gemessen. Wissenschaftler in den USA empfehlen nach neueren Studiendaten allerdings bei Personen über 20 Jahren eine gleichzeitige Bestimmung von Gesamtcholesterin, LDL-Cholesterin, HDL-Cholesterin und der Triglyzeride mindestens alle fünf Jahre (bei erhöhten Werten und/oder Risikofaktoren natürlich häufiger).

Ein anderer für das Gefäßrisiko wichtiger Stoff ist Lipoprotein(a) (s. S. 41). Ist der Cholesterinspiegel erhöht, sollte im Rahmen der weiteren Abklärung auch dessen Konzentration gemessen werden.

Und schließlich: Auch erhöhte Triglyzeridkonzentrationen haben sich im Laufe der Zeit in vielen wissenschaftlichen Untersuchungen als Risikofaktor für Herz-Kreislauf-Erkrankungen erwiesen. Dieses Risiko ist unabhängig davon, ob die Cholesterinwerte ebenfalls erhöht sind.

Wie wurde der Normalbereich für Cholesterin und Triglyzeride ermittelt?

Der Normalbereich – besser: der Zielbereich – wurde nach den Ergebnissen großer internationaler wissenschaftlicher Studien festgelegt. In den Studien wurde beurteilt, ab welchem Cholesterin- bzw. Triglyzeridwert das Risiko für eine Gefäßschädigung, also eine Arteriosklerose, erhöht ist und man mit Organschädigungen rechnen muss.

Cholesterin nimmt hier übrigens eine gewisse Ausnahmestellung ein: Bei fast allen Laborbefunden stellt der durchschnittliche Wert einer bestimmten Bevölkerungsgruppe die Basis für den Normalbereich dar. Dieses Vorgehen finden Mediziner jedoch bei Cholesterin i.d.R. nicht sinnvoll, weil ein großer Teil der Bevölkerung – häufig aufgrund von Fehlernährung und Vorerkrankungen – eine zu hohe (im Sinne eines erhöhten Herz-Kreislauf-Risikos nach den Studienergebnissen) Cholesterinkonzentration im Blut aufweist.

Würde man also diese durchschnittlichen Cholesterinwerte als Grundlage für den Normalbereich verwenden, läge dieser deutlich über dem Bereich, der für unser Blutgefäßsystem gesund ist. Dementsprechend haben sich die Experten darauf geeinigt, nach den Ergebnissen der oben genannten Studien Zielbereiche festzulegen.

Behandlungs- möglichkeiten

Eine Senkung der erhöhten Blutfettwerte in den Normbereich ist besonders
wichtig, wenn zusätzliche Risikofaktoren vorliegen. Es gibt heute hoch-
wirksame, gut verträgliche Medikamente und auch nicht-medikamentöse
Möglichkeiten, um mit Fettstoffwechselstörungen leichter umzugehen.

Warum ist eine Behandlung überhaupt notwendig?

Mit einfachen Änderungen im Ernährungs- und Lebensstil kann man viel erreichen!

Wurden bei Ihnen erhöhte Konzentrationen der Blutfettwerte festgestellt, wird Ihr Arzt in Abhängigkeit von Ihrem individuellen Profil, also dem möglichen Vorhandensein zusätzlicher Risikofaktoren wie beispielsweise Bluthochdruck oder Diabetes mellitus, mit Ihnen gemeinsam das weitere Vorgehen festlegen. Je nach Situation kann er empfehlen, die Blutfette erst einmal allein durch eine Ernährungsumstellung, vielleicht durch eine Gewichtsabnahme und regelmäßige körperliche Bewegung zu verbessern. Es ist aber auch denkbar, dass er zusätzlich zu einer Änderung bestimmter Lebensgewohnheiten gleich zu Beginn eine medikamentöse Behandlung für notwendig erachtet. Diskutieren Sie mit Ihrem Arzt, was Sie beide für machbar und sinnvoll halten.

Die Blutfettwerte haben keine fixe Grenze – diese wird stattdessen von dem persönlichen Herz-Kreislauf-Risiko bestimmt. Mehr dazu haben Sie ja bereits im Kapitel „Symptome und Diagnose" (s. S. 24 ff.) erfahren. Bei sehr hohem Risiko (beispielsweise einer Herzgefäßerkrankung oder einem Diabetes) sind die Zielwerte für die Behandlung recht streng, bei mäßigem Risiko weniger streng definiert. Besonders für die LDL-Cholesterinkonzentration gelten solche individuellen Zielbereiche. Die Zielsetzung der Therapie bei Fettstoffwechselstörungen besteht darin, die Werte des LDL-Cholesterins zu senken. Damit verringert man am wirksamsten das Risiko für eine Arteriosklerose. Gleichzeitig sollte der Spiegel des HDL-Cholesterins im Blut erhöht werden. Der Erfolg der Therapie kann an den veränderten Werten des LDL-HDL-Quotienten abgelesen werden.

Die Zielwerte werden entsprechend Ihrer persönlichen Risikofaktoren festgelegt.

Nicht-medikamentöse Behandlung

Die wichtigsten Maßnahmen zur Senkung der Blutfettwerte sind eine Umstellung der Ernährung und bei Bedarf eine Gewichtsabnahme. Der Fettanteil der Nahrung ist in der üblichen „Western Diet", der auch sehr zuckerreichen Ernährung, oft zu hoch und sollte gesenkt werden, ebenso wie der Anteil reinen Zuckers in der Nahrung.

Dazu kommt ein Programm regelmäßiger sportlicher Aktivität – das muss und soll kein Leistungssport sein, sondern kann beispielsweise tägliches 30-minütiges Spazierengehen, Schwimmen, Wandern, Radfahren o. Ä. umfassen. Weiterhin sollten Sie mit dem Rauchen aufhören und für sich ein persönliches Entspannungsprogramm suchen, mit dem Sie gut vom eigenen stressigen Alltag abschalten können und das Sie demnach auch regelmäßig durchführen.

Fettstoffwechselstörungen bei Kindern und Jugendlichen

Durch das rechtzeitige Entdecken der Risikofaktoren für Herz-Kreislauf-Er-krankungen kann diesen oft frühzeitig begegnet werden. Gezielte Aufklärungs-und Vorsorgemaßnahmen schon im Kindesalter können Herzinfarkte und Schlaganfälle im späteren Leben verhindern helfen. Denn wie bei dem bislang als „Alterszucker" angesehen Diabetes Typ 2 verschiebt sich auch bei erhöhten Blutfettkonzentrationen der Beginn in immer jüngere Personengruppen.

Erste Messung schon im Kindesalter

Die Deutsche Gesellschaft zur Bekämpfung von Fettstoffwechselstörungen und ihren Folgeerkrankungen (Lipid-Liga) empfiehlt, die erste Messung des Gesamtcholesterins und der Untertypen LDL- und HDL-Cholesterin bereits im Alter von zehn Jahren (z. B. bei der Vorsorgeuntersuchung U10) vorneh-men zu lassen, um einen Basiswert zu haben, mit dem sich spätere Messwerte abgleichen lassen. Ganz besonders gilt das, wenn in Ihrer Familie Hinweise auf das Vorhandensein von Herz-Kreislauf-Erkrankungen, z. B. Herzinfarkt und Schlaganfall, vorliegen.

Grundsätzliche Empfehlungen

Sollte der Cholesterinwert Ihres Kindes erhöht sein (über 200 Milligramm pro Deziliter auch bei Kontrolluntersuchungen), erfolgt zunächst (nach Abklärung von behandelbaren Grunderkrankungen) eine eingehende Ernäh-rungsberatung. Die Hinweise sollten dann unbedingt zusammen in der gan-zen Familie umgesetzt werden. Achten Sie auf die Ernährung Ihres Kindes und seien Sie selbst ein Vorbild! Eine fettbewusste Ernährung, die ein Kind allein erhält, während die restliche Familie in Wiener Schnitzel schwelgt, ist auf jeden Fall kontraproduktiv. Ihr Kind wird sich so keine gesunde und dabei schmackhafte Ernährungsweise aneignen, die es dann auch für das restliche Leben einhalten kann. Stattdessen wird es eher das Gefühl haben, auf etwas Gutes verzichten zu müssen – mit der wahrscheinlichen Folge, dass es heimlich Süßigkeiten und andere „verbotene Früchte" zu sich nehmen wird.

Leiden Sie an Bluthochdruck und / oder einer Zuckerkrankheit, müssen diese optimal behandelt werden – auch dazu sind die genannten Maßnahmen geeignet. Darüber hinaus muss Ihr Arzt über eine medikamentöse Behandlung nachdenken, sofern diese noch nicht angelaufen ist.

Lassen sich die Blutfette auf diese Weise nicht ausreichend senken und stellen sich nach etwa sechs Monaten trotz Einhaltung der nicht-medikamentösen Maßnahmen keine zufriedenstellenden Werte ein, werden i. d. R. zusätzlich Medikamente eingesetzt. Doch auch dann bedeutet das nicht, dass Sie damit aus der Pflicht entlassen sind, selbst zum Wohl Ihrer eigenen Gesundheit aktiv zu bleiben. Eine optimale Senkung des erhöhten Herz-Kreislauf-Risikos umfasst nämlich beides: die medikamentöse Behandlung und nicht-medikamentöse Maßnahmen, die dabei helfen, das Risiko zu senken. Weitere Informationen zu den Maßnahmen, die Sie selbst ergreifen können, um Ihre Blutfettwerte und Ihr Herz-Kreislauf-Risiko in den Griff zu bekommen, erhalten Sie im nächsten Kapitel „Hilfe zur Selbsthilfe" (s. S. 62 ff.).

> **▌TIPP**
>
> ## DIE KOMBINATION MACHT'S
>
> Nur bei sehr hohen Blutfettkonzentrationen oder wenn Sie einen Herzinfarkt erlitten haben, erhalten Sie von Beginn an blutfettsenkende Medikamente. Und auch in diesem Fall gilt: Die Tabletten machen die anderen Maßnahmen nicht überflüssig!

Medikamentöse Behandlung

Falls Sie nun also Medikamente zur Senkung der Blutfettkonzentrationen (fachsprachlich Lipidsenker) einnehmen müssen, sollten Sie sich klarmachen, dass es sich dabei nicht um eine Kurzzeittherapie von einigen Wochen handelt. Eine Therapie mit einem Blutfettsenker ist eine länger andauernde Behandlung. Sie können jedoch die Medikamentendosis niedrig halten, wenn Sie selbst mit einer gesünderen Ernährung und regelmäßiger Bewegung die Wirksamkeit der Therapie unterstützen. Und nach einigen Monaten kann man evtl. auch einen Medikamentenauslassversuch machen. Sprechen Sie mit Ihrem Arzt darüber. Viel hängt dabei von Ihren aktuellen Blutfettwerten und den aktuellen Risikofaktoren ab: Haben Sie z. B. aufgehört zu rauchen? Haben Sie abgenommen? Treiben Sie regelmäßig Sport?

Auch wenn Sie Lipidsenker einnehmen: Die Änderungen Ihres Ernährungs- und Bewegungsstils müssen Sie beibehalten.

Heute stehen eine Reihe gut untersuchter und sehr sicherer Medikamente zur Auswahl, welche die erhöhten Blutfettwerte effektiv und gut verträglich senken. Sie hemmen beispielsweise die Cholesterinsynthese im Körper, speziell in der Leber, oder die Aufnahme von Fetten im Darm.

Die Behandlung kann mit nur einem einzelnen Wirkstoff als sogenannte Monotherapie erfolgen. Möglich ist aber auch die Kombination verschiedener Substanzen, die sich in ihrer Wirkung ergänzen. Die Entscheidung darüber hängt von Ihrer individuellen Krankheitsgeschichte ab. Folgende Substanzklassen stehen zur Verfügung:

Statine

Alle Statine wirken dadurch, dass sie die körpereigene Cholesterinproduktion in der Leber hemmen. Dies tun sie, indem sie die Aktivität des Schlüsselenzyms dieser Cholesterinproduktion unterbinden, der HMG-CoA-(Hydroxy-Methyl-Glutaryl-Coenzym-A-)Reduktase. Ausgehend von der Hemmung dieses Enzyms wird die Substanzklasse auch als HMG-CoA-Reduktase-Hemmer oder, nach dem allgemeinen Wirkprinzip, Cholesterin-Synthese-Enzym-Hemmer (CSE-Hemmer) genannt. Alle drei Begriffe meinen dieselbe Medikamentengruppe, am häufigsten verwendet wird wohl der Name „Statine", der deshalb im Folgenden auch hier benutzt wird.

Durch die Hemmung der Cholesterinsynthese in der Leber muss der Körper seinen Bedarf an dem essenziell notwendigen Cholesterin aus dem im Blut vorhandenen, an LDL gebundenen Cholesterin decken. Damit dies wirksam gelingt, werden an der Außenseite der Körperzellen, die Cholesterin benötigen, verstärkt LDL-Rezeptoren gebildet, über die mehr LDL-Cholesterin aus dem Blut in die Zelle geschleust werden kann, dieses dann aus dem Blutstrom verschwindet und hier also quasi keinen Schaden mehr anrichten kann. Damit sinkt die LDL-Cholesterinkonzentration im Blut; ebenso die der Triglyzeride, während die des HDL-Cholesterins unbeeinflusst bleibt oder steigt. In jedem Fall erhöht sich der LDL-HDL-Quotient.

Statine hemmen die Cholesterinsynthese in der Leber.

Man vermutet heute auch, dass Statine neben der Senkung der LDL-Cholesterin-konzentration zusätzlich instabile Plaques stabil machen – diese Theorie wird derzeit weiter untersucht. Die Plaques können kaum noch aufreißen und es bilden sich seltener gefährliche Blutgerinnsel, die das Blutgefäß verengen oder abreißen und eine Embolie auslösen können. Darüber hinaus senken Statine auch die Konzentration des hochsen-sitiven CRP im Blut (s. S. 42), was ebenfalls zur ihrer positiven Wirkung gegenüber Arteriosklerose beitragen könnte.

Marianne H. ist 57 Jahre alt, verheiratet, hat zwei Kinder und ist Hausfrau. Sie kommt „eigentlich nur spaßeshalber", wie sie sagt, in die Arztpraxis, weil in der Apotheke bei einer Untersuchung eine erhöhte Gesamtcholeste-rinkonzentration festgestellt wurde. Frau H. gibt keinerlei Beschwerden an, ist auch nie ernsthaft krank gewesen, sie nimmt keine Medikamente ein. Bei der Frage nach Krankheiten in der Familie berichtet sie, dass ihr Vater an einer Herzkranzgefäßerkrankung leide.

Die körperliche Untersuchung ist unauffällig, Frau H. ist normal-gewichtig (64 Kilogramm bei 1,65 Metern). In der Laboruntersu-chung wird der Verdacht auf einen zu hohen Cholesterinspiegel im Blut (Hypercholesterinämie) bestä-tigt: Ihre Werte betragen beim Ge-samtcholesterin 254 Milligramm pro Deziliter; bei HDL-Cholesterin 51 Milligramm pro Deziliter, bei LDL-Cholesterin 191 Milligramm pro Deziliter und bei Triglyzeriden 212 Milligramm pro Deziliter.

TIPP

NICHT NUR KOSMETIK

Mit Einnahme der Standarddosen an Stati-nen wird die LDL-Cholesterinkonzentrati-on meist um 30 bis 40 Prozent gesenkt. Und dabei handelt es sich nicht nur um „Labor-wert-Kosmetik": Die Statine können – das ist wissenschaftlich belegt – bei einer gro-ßen Anzahl von Patienten auch das Fort-schreiten der Arteriosklerose selbst ver-langsamen und folglich auch das Risiko für eine Herzkranzgefäßerkrankung oder einen Schlaganfall deutlich senken. Wenn man die Ergebnisse verschiedener Studien hochrech-net, können durch die Behandlung von Ri-sikopatienten mit Statinen in Deutschland jährlich sogar etwa 9.000 Todesfälle verhin-dert werden.

INFO

DER SOGENANNTE „LIPOBAY®-SKANDAL"

Vor knapp zehn Jahren gab es eine große Unruhe um ein Präparat aus der Wirkstoffklasse der Statine, das Cerivastatin. Es wurde im August 2001 vom Markt genommen, nachdem es in sehr seltenen Fällen zu schweren Nebenwirkungen, teilweise mit Todesfolge, gekommen war.

Ursache für diese Nebenwirkungen war hier die gemeinsame Verabreichung von Cerivastatin mit einem anderen Lipidsenker, Gemfibrozil. Es kam in diesem Fall zum ausgedehnten Zerfall von Muskelgewebe (Rhabdomyolyse) mit einem daraus resultierenden Nierenversagen.

Die Ursache liegt darin, dass Cerivastatin und Gemfibrozil in der Leber über den gleichen Stoffwechselweg abgebaut werden, was zu einer Anhäufung der Wirkstoffe im Körper führt, wenn die beiden Substanzen gemeinsam eingenommen werden.

Allerdings war die Gefahr, die von dieser gemeinsamen Einnahme ausging, bereits vorher bekannt – der Hersteller selbst hat in dem Beipackzettel des Medikaments ausdrücklich darauf hingewiesen. Die Statine selbst können weiterhin als gut verträgliche und wirksame Medikamente betrachtet werden, vorausgesetzt, dass man sie auch wirklich vorschriftsgemäß einnimmt. Darüber hinaus werden die heute in der Medizin eingesetzten Statine über einen anderen Stoffwechselweg abgebaut als Cerivastatin.

Marianne H. erhält eine Ernährungsberatung, v. a. zu einer Umstellung auf gesündere Fette in der Nahrung. Aufgrund des erhöhten Herz-Kreislauf-Risikos (koronare Herzkrankheit des Vaters) erhält sie gleichzeitig, ohne das Ergebnis der Ernährungsumstellung abzuwarten, 40 Milligramm des Statins Simvastatin pro Tag. Bei einer Kontrolluntersuchung drei Monate später ist Frau H. weiter beschwerdefrei, das Gesamtcholesterin in ihrem Blut ist auf 200 Milligramm pro Deziliter gesunken, das LDL-Cholesterin liegt nun bei 150 Milligramm pro Deziliter. Die Dosis des Statins wird daher auf die Hälfte reduziert.

Statine – egal, ob allein oder in Kombination eingesetzt – sind aufgrund ihrer positiven Wirkung auf das LDL-Cholesterin bei der Senkung von erhöhten Cholesterinkonzentrationen heute meist die erste medikamentöse Wahl. Ob Sie ausschließlich ein Statin oder eine Kombination aus Statin und einem anderen Medikament erhalten (i. A. ist das dann ein Cholesterinresorptionshemmer), hängt davon ab, wie stark das LDL-Cholesterin im Blut gesenkt werden soll. Das wiederum wird von der Höhe des Ausgangswertes und von Ihrem weiteren Risikoprofil bestimmt. Denn: Je höher das Herz-Kreislauf-Risiko ist, desto niedrigere Zielwerte werden für die LDL-Cholesterinkonzentration angestrebt. Zu den Statinen gehören z. B. Lovastatin, Pravastatin, Simvastatin, Fluvastatin und Atorvastatin. Welches Statin für Sie individuell am besten geeignet ist, hängt von Ihrem Einzelfall ab, und den kann nur Ihr Arzt beurteilen. Wenn bei Ihnen die Umstellung von einem Statin auf ein anderes vorgenommen wurde, empfiehlt sich nach einigen Wochen eine Kontrolle der Blutfette, insbesondere des LDL-Cholesterins.

Anionenaustauscherharze

Die auch als Gallensäure-Komplexbildner bezeichnete Wirkstoffgruppe senkt die Cholesterinkonzentration im Blut, indem sie die Aufnahme des in der Nahrung enthaltenen Cholesterins aus dem Darm ins Blut hemmt. Dies geschieht, indem sie die Gallensäuren im Darm binden und dafür sorgen, dass sie mit dem Stuhl ausgeschieden werden. Da Gallensäuren aus Cholesterin gebildet werden, muss nun die Leber vermehrt Cholesterin aus dem Blut abziehen, um neue Gallensäuren zu produzieren, denn diese sind für die Aufnahme von Fett und fettähnlichen Substanzen im Darm erforderlich. Dadurch sinkt die LDL-Cholesterinkonzentration im Blut etwa um 15 bis 20 Prozent. Anionenaustauscherharze müssen jedoch mehrmals täglich in hohen Dosen eingenommen werden und werden daher als alleinige Therapie bei Fettstoffwechselstörungen nur noch selten eingesetzt. In Kombination mit Statinen allerdings weist diese Behandlung gute Erfolge auf. Wirkstoffe sind beispielsweise Colestyramin oder Colestipol.

Cholesterinresorptionshemmer

Cholesterinresorptionshemmer oder Cholesterinaufnahmehemmer lagern sich in der Schleimhaut des Dünndarms ab und wirken dort genauso, wie es aus ihrem Namen hervorgeht: Sie verhindern den Übertritt von Cholesterin in die Darmzellen – und zwar nur von Cholesterin, die Gallensäuren bleiben unbeeinflusst. Ergebnis ist eine Verminderung der LDL-Cholesterinkonzentration im Blut. Dabei wirken die Cholesterinresorptionshemmer genau wie die Statine auch auf die anderen Blutfettwerte positiv.

> **TIPP**
>
> # WECHSELWIRKUNG
>
> Wer Anionenaustauscherharze gegen erhöhte Blutfettwerte einnimmt, muss damit rechnen, dass andere Medikamente dann weniger gut wirken.
> Durch ihr Wirkprinzip – die Bindung von Gallensäuren – können sie die Resorption anderer Medikamente im Darm beeinträchtigen und somit deren Wirkung vermindern. Betroffen sind v. a. Medikamente, die die Blutgerinnung beeinflussen, wie Phenprocoumon, Medikamente gegen Herzschwäche wie Digitalisglykoside, Schilddrüsenhormone und einige Antibiotika, beispielsweise Tetrazykline. Sie sollten also die entsprechenden Medikamente mindestens eine Stunde vor oder aber frühestens vier bis sechs Stunden nach Colestyramin oder Colestipol einnehmen.

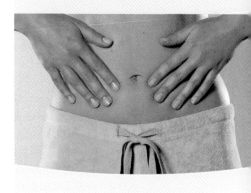

ZWEIFACHE HEMMUNG SENKT CHOLESTERINWERT

Erst seit wenigen Jahren ist es möglich, die Cholesterinaufnahme im Darm zu senken. Man nutzt dabei die Tatsache, dass Cholesterin nicht einfach durch die Darmwand in die Blutbahn wandern kann, sondern von speziellen Transporteiweißen durch die Schleimhaut hindurch geschleust werden muss. Bislang einziger Hemmstoff dieses Transporteiweißstoffes ist der Cholesterinresorptionshemmer Ezetimib.

Kombiniert man die beiden Wirkprinzipien von Statin und Cholesterinresorptionshemmer, werden also sowohl die Cholesterinsynthese in der Leber als auch die Cholesterinaufnahme im Darm gehemmt. Die LDL-Cholesterinkonzentration wird dadurch stärker gesenkt als mit nur einem Wirkstoff allein.

Die Triglyzeridkonzentrationen sinken also und die HDL-Cholesterinkonzentration im Blut steigt. Cholesterinresorptionshemmer (Wirkstoff Ezetimib) werden gern mit Statinen kombiniert, man spricht dann von der dualen Hemmung.

Fibrate

Fibrate senken v.a. die Triglyzeridkonzentration im Blut, indem sie deren Bildung in der Leber vermindern. Zudem hemmen sie die Cholesterinproduktion in der Leber. Fibrate können die HDL-Cholesterinkonzentration um ca. fünf bis zehn Prozent erhöhen und die des LDL-Cholesterins um maximal 20 Prozent senken. Sie sorgen außerdem für eine verminderte Lipoproteinbildung, was bedeutet, dass weniger Eiweiße für den Fetttransport hergestellt werden. Allerdings verändern sie die Zusammensetzung der Gallenflüssigkeit und erhöhen so das Risiko für die Bildung von Gallensteinen – v.a. zu Beginn der Behandlung. Wirkstoffe sind u.a. Fenofibrat, Gemfibrozil und Bezafibrat.

Nikotinsäure

Der Wirkstoff Nikotinsäure (Niacin) gehört zur Gruppe der B-Vitamine. Sie hemmt die Freisetzung von Fettsäuren aus dem Fettgewebe, was zu einer (um zehn bis 15 Prozent) verringerten Bildung von LDL-Cholesterin führen kann, auch der Triglyzeridspiegel sinkt durch die Bildung der VLDL (s.S. 14) in der Leber. Insbesondere aber hat Nikotinsäure eine erhöhende Wirkung auf den HDL-Cholesterinspiegel und wird daher gern zur Verbesserung niedriger HDL-Cholesterinkonzentrationen verordnet. Allerdings ist die Substanz nicht sehr gut verträglich, es kommt häufig zu anfallsartigen Gesichtsrötungen (Flush) und Magen-Darm-Beschwerden wie Durchfällen, Übelkeit und Bauchschmerzen.

Bei der Behandlung mit Nikotinsäure treten häufig Nebenwirkungen auf.

Orlistat

Orlistat hemmt die Fett spaltenden Enzyme (Lipasen) im Magen-Darm-Trakt. Dadurch können die Triglyzeride der Nahrung nicht mehr in resorbierbare freie Fettsäuren und Monoglyzeride zerlegt werden. So werden die Aufspaltung und Aufnahme der in der Nahrung enthaltenen Fette gestört. Die Verminderung der Fettaufnahme kann bis zu 35 Prozent betragen.

Auch auf diese Weise werden die Verdauung und auch die Aufnahme der mit der Nahrung aufgenommenen Fette gehemmt. Orlistat ist nicht primär zur Senkung der Blutfettkonzentrationen gedacht, kann aber bei starkem Übergewicht eingesetzt werden, um den Beginn einer Gewichtsabnahme (und damit eine Verbesserung des Blutfettprofils) zu erleichtern. Grundsätzlich aber ersetzt Orlistat nicht eine Ernährungsumstellung. Wenden Sie sich diesbezüglich an Ihren Arzt und ggf. auch an einen Ernährungsberater.

INFO

MANCHMAL HILFT NUR BLUTWÄSCHE

Bei bestimmten angeborenen Erkrankungen des Cholesterinstoffwechsels (familiäre Hypercholesterinämie) kann die Kombination aus Medikamenten und Diät gelegentlich nicht ausreichen, um die Cholesterinkonzentration in den gewünschten Bereich zu senken. Dann ist es erforderlich, eine Blutwäsche (Lipidapherese, LDL-Apherese) durchzuführen, um das LDL-Cholesterin dem Blutplasma außerhalb des Körpers zu entziehen. Auf diese Weise können überschüssige Lipoproteine entfernt werden. Neben dieser lebenslang fortzuführenden, zeit- und kostenintensiven Therapie können Betroffene häufig durch eine Lebertransplantation geheilt werden. In diesem Fall wird das angeborene Fehlen des LDL-Rezeptors, der normalerweise eine Bindungsstelle für LDL-Cholesterin an der Leberzelle darstellt, durch das neue Organ ausgeglichen.

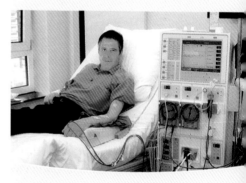

Und wie geht es weiter?

Wenn bei einer Untersuchung festgestellt wurde, dass Ihre individuellen Blutfettwerte erhöht sind, kommen Sie nicht um regelmäßige Kontrollen beim Arzt herum. Die Kontrollintervalle hängen von der Höhe der Blutfette, dem angestrebten Zielbereich, der Therapieform und Ihrem persönlichen Risikoprofil ab. Experten empfehlen die in Tabelle 4 auf S. 60 dargestellten Kontrollintervalle.

TABELLE 4: SINNVOLLE INTERVALLE FÜR DIE KONTROLLE DER BLUTFETTWERTE (ABHÄNGIG VON THERAPIE UND INDIVIDUELLEM RISIKO)	
Therapieform	empfohlenes Kontrollintervall
Diät oder Anpassung des Lebensstils	alle drei Monate
medikamentöse Therapie	vier Wochen nach Therapiebeginn; bei Statintherapie Kontrolle von Transaminasen (Leberwerten)
stabile diätetische und/oder medikamentöse Einstellung und mäßig erhöhtes Risiko	alle sechs bis zwölf Monate
stabile Einstellung der Blutfettwerte und hohes Risiko	alle sechs Monate
starke Erhöhung der Triglyzeridkonzentration im Blut	zunächst im Abstand von ein bis zwei Wochen, anschließend alle sechs Wochen

Das Wichtigste auf einen Blick

Meine Blutfettwerte sind erhöht – wie geht es weiter?

Zunächst einmal müssen Sie mit Ihrem Arzt besprechen, inwieweit Sie eine gewisse Anpassung Ihres Lebensstils vornehmen können und sollten. Neben einer Änderung der Ernährung ist ein regelmäßiges Sportprogramm sinnvoll – am besten mit einer Sportart, die Ihnen Spaß macht. Ein Nikotinstopp ist ein Muss. Man kann versuchen, es in Abhängigkeit von Ihrem persönlichen Profil und der tatsächlichen Höhe der Blutfettwerte erst einmal bei dieser „Lifestyle"-Änderung zu belassen und die Blutfette nach einigen Wochen zu kontrollieren. Sind die Werte allerdings weiterhin zu hoch, wird Ihr Arzt Ihnen vermutlich ein Medikament, einen sogenannten Lipidsenker, verschreiben.

Ich will keine „Chemie" schlucken – gibt es keine natürlichen Möglichkeiten zur Blutfettsenkung?

Traditionell werden v. a. Artischocken und Knoblauch gegen erhöhte Cholesterinkonzentrationen im Blut empfohlen. Es konnte auch zumindest für Artischocken nachgewiesen werden, dass sie mit einem Mechanismus ähnlich dem von pharmazeutischen Lipidsenkern (den Statinen) den Cholesterinspiegel senken können. Das Ausmaß dieser Senkung reicht aber bei Weitem nicht aus, um Ihr Risiko „Blutfetterhöhung" wieder in den grünen Bereich zu bringen. Es spricht nichts dagegen, dass Sie dieses Gemüse häufiger auf den Speisezettel setzen, da es zusätzlich Ballaststoffe liefert und beispielsweise Knoblauch allgemein entzündungshemmende Eigenschaften nachgesagt werden. Sie können auch zu Kapseln oder Tabletten aus der Apotheke greifen, die höhere Konzentrationen enthalten als die Gemüse selbst. Auf keinen Fall sollten Sie ohne Rücksprache mit Ihrem Arzt einen verordneten Lipidsenker absetzen und sich stattdessen von Knoblauch und Artischocken ernähren.

Welche Medikamente zur Senkung erhöhter Blutfettwerte gibt es?

Am häufigsten eingesetzt werden Statine, die die Bildung von Cholesterin im Körper unterbinden. Die Statine sind gut verträglich und sehr wirksam: Die LDL-Cholesterinkonzentration sinkt um 30 bis 40 Prozent, und Herz-Kreislauf-Komplikationen wie Herzinfarkt und Schlaganfälle werden vermindert. Weitere Medikamentenklassen sind Anionenaustauscherharze (s. S. 57), Cholesterinresorptionshemmer (s. S. 57 f.), Nikotinsäure (s. S. 58) und Fibrate (s. S. 58). Die Kombination von Cholesterinresorptionshemmer und Statin erzielt ebenfalls gute Erfolge.

Ich nehme Medikamente wegen meiner erhöhten Blutfettwerte – kann ich jetzt meine Diät weglassen?

Das sollten Sie mitnichten tun – im Gegenteil: Sie können nach Absprache mit Ihrem Arzt nach einigen Monaten versuchen, die Lipidsenker zu reduzieren oder ganz wegzulassen. Die Diät und die sonstigen Lebensstiländerungen dagegen sollten Sie dauerhaft beibehalten.

Ich habe erhöhte Blutfettwerte – wie oft sollte ich diese am besten kontrollieren lassen?

Das hängt von Ihrem persönlichen Risikoprofil, von der tatsächlichen Höhe der Blutfettwerte und von der gewählten Therapie ab – sinnvollerweise legen Sie die Intervalle gemeinsam mit Ihrem Arzt fest. Sie liegen zumeist zwischen einer Woche und sechs Monaten: zu Therapiebeginn häufiger, später seltener.

Hilfe zur Selbsthilfe

Falsche Ernährung, Übergewicht, mangelnde körperliche Betätigung, Stress und vieles mehr sind entscheidende Faktoren, die das Entstehen einer Fettstoffwechselstörung begünstigen. Wie können Sie nun selbst aktiv werden?

Lebensumstellung auf lange Sicht

An erster Stelle bei einer Fettstoffwechselstörung steht eine Umstellung der Lebensweise: Überdenken Sie Ihre Ernährung, essen Sie bewusst, treiben Sie Sport, hören Sie auf zu rauchen, tun Sie etwas gegen Stress. Nur wenn damit die Blutfette nicht ausreichend zurückgehen, kann es nötig sein, zusätzlich mit einer medikamentösen Behandlung zu beginnen. Das ist dann aber kein Freibrief, wieder in die alten Gewohnheiten zurückzufallen. Worum es letztlich geht, ist schließlich die Senkung des Herz-Kreislauf-Risikos. Um das zu verwirklichen, müssen alle Risikofaktoren bekämpft werden. Sie erhalten in diesem Kapitel eine Menge Informationen und Tipps, die Sie praktisch umsetzen können. Darüber hinaus gibt es auch bei Hausärzten, Apotheken und Krankenkassen Informationsmaterial zur bewussteren Ernährung, und Volkshochschulen bieten Kochkurse an.

Sprechen Sie mit Ihrem Arzt und / oder Ihrem Ernährungsberater und legen Sie gemeinsam die Therapieziele fest.

Faktoren, die Ihre Blutfettwerte günstig beeinflussen können, umfassen:

- eine Ernährungsumstellung in Richtung weniger Fett, weniger Fleisch, mehr Fisch, mehr Obst und Gemüse
- Gewichtsabnahme (wenn erforderlich)
- körperliche Aktivität
- Rauchstopp und Stressvermeidung

Einzelne Informationen zu den genannten Faktoren erhalten Sie dann in den folgenden Abschnitten.

TIPP

SO FRÜH WIE MÖGLICH BEGINNEN

Warten Sie nicht, bis Sie ein Herzinfarkt zum Umdenken zwingt – beginnen Sie noch heute mit „dem Rest Ihres neuen Lebens". Übrigens: Schon Kinder sollten an eine vernünftige Ernährung herangeführt werden (s. S. 52). Wenn Sie also mit Kindern und Jugendlichen zusammenleben, beziehen Sie sie mit ein.

Ernährungsumstellung

Eine bewusste Ernährung hat bei Fettstoffwechselstörungen einen hohen Stellenwert und stellt die Grundlage der Behandlung dar. Aber nicht jeder Patient mit erhöhten Blutfettwerten spricht gleich gut auf eine Ernährungsumstellung an. Das Ausmaß der Fettsenkung im Blut, die sich durch eine konsequente Ernährungsumstellung zu einer fettarmen Ernährungsweise erreichen lässt, ist individuell sehr unterschiedlich und beträgt im Durchschnitt zwischen 15 und 25 Prozent, die maximale Wirkung zeigt sich nach einigen Monaten.

Liegt eine vererbte, familiäre Hypercholesterinämie vor, zielt die Therapie darauf ab, den Cholesterinwert sowie die LDL-Cholesterinkonzentration zu senken.

TEST (FORTSETZUNG AUF S. 66)

IST IHRE ERNÄHRUNG AUSGEWOGEN?

- Zum Frühstück schaffe ich es nicht, in Ruhe etwas zu essen.
- Auf dem Weg zur Arbeit kaufe ich mir schnell etwas.
- Ich trinke mehrere Tassen Kaffee am Tag.
- Mein BMI (s. S. 32) liegt über 25.
- Tagsüber bin ich häufig hungrig.
- Zu Obst und Gemüse greife ich nur selten.
- Ich esse nicht sehr viele Milchprodukte.

- Das Mittagessen fällt oft weg – so ist das eben, wenn man viel zu tun hat.
- Ich esse meist erst, wenn ich Heißhunger habe.
- Abends habe ich mir dann ein ordentliches Essen verdient. Ich plündere erst mal den Kühlschrank und esse alles, worauf ich Lust habe.
- Oft esse ich dann alles durcheinander.
- Wenn es besonders stressig ist, dann überfällt mich schon mal der Heißhunger.
- Süßigkeiten kann ich nicht widerstehen, das hat man sich ja nach anstrengenden Tagen auch verdient.
- In letzter Zeit habe ich ganz schön zugenommen.
- Wie fettig mein Essen ist, ist mir egal, Hauptsache, es macht satt.
- Fisch kommt bei mir eher selten auf den Tisch.
- Ich trinke täglich, Kaffee, Alkohol und Tee nicht mitgerechnet, höchstens einen Liter.
- Im Supermarkt kaufe ich nach Lust und Laune alles, was mir schmeckt.

Lösung:
Wenn Sie bis zu drei Fragen mit Ja beantwortet haben, ist Ihre Ernährung recht ausgewogen. Weiter so! Bei vier bis acht Ja-Antworten sollten Sie Ihre Essgewohnheiten im Detail überdenken. Sich näher mit Nahrungszusammensetzungen zu beschäftigen und auf regelmäßige Ernährung zu achten, ist viel gesünder! Bei über acht Ja-Antworten sollten Sie Ihr gesamtes Ernährungskonzept komplett ändern. Mit Ihren momentanen Essgewohnheiten schaden Sie sehr Ihrer Gesundheit. Machen Sie evtl. auch mal einen Termin beim Ernährungsberater.

Allgemeine Empfehlungen

Die erste Ernährungsregel lautet: Verbotene Lebensmittel gibt es nicht. Aber es gibt Lebensmittel, bei denen man Maß halten sollte.

Keine Sorge – nicht Verzicht, sondern Umstellung der Ernährung ist das Wesentliche. Absolutes Verbannen bestimmter Lebensmittel führt i. A. nur dazu, dass ihnen nach einer kurzen, recht harten Durchhaltephase erst recht zugesprochen wird. Die Grundsätze Ihrer neuen Ernährung sollten sein:

- Reduzieren Sie den Fettgehalt Ihrer Nahrung. Zu empfehlen sind Lebensmittel mit wenigen gesättigten Fettsäuren wie Fisch und Geflügel. Auch mehrfach ungesättigte Fettsäuren sind gesund. Sie sind z. B. in pflanzlichen Ölen und in Fischölen enthalten.
- Mageres Fleisch, fettarme Wurstsorten, Geflügel ohne Haut sowie Milch und Joghurt mit 1,5 Prozent Fettgehalt sind besonders zu empfehlen.

■ Achten Sie auf Ballaststoffe, wie sie beispielsweise in Vollkornprodukten (Brot, Nudeln, Reis), Kartoffeln, Obst und Gemüse – Letzteres möglichst als Salat oder Rohkost – enthalten sind.

■ Reduzieren Sie Eigelb, Butter, Sahne, Innereien, fettes Fleisch und fette Wurst, fettreiche Milch und Milchprodukte, Frittiertes und Süßwaren in Ihrer Nahrung.

■ Auch die Zubereitung der Lebensmittel spielt eine Rolle, so ist z. B. gedünstete Nahrung fettärmer als in Fett gebratene.

■ Schränken Sie die Kochsalzzufuhr ein. Oft nimmt man mit der Nahrung weitaus mehr Salz zu sich, als notwendig und gesund ist. Auch hier gilt: Achten Sie auf versteckte Quellen, wie z. B. bestimmte Fleisch- und Wurstwaren (insbesondere Dauerwurst wie Salami oder Schinken), Fertiggerichte, Sauerkraut, viele Streugewürze und Konserven. Zu viel Salz (mehr als etwa fünf bis sechs Gramm pro Tag) kann den Blutdruck erhöhen, was wiederum einen weiteren Risikofaktor für Herz-Kreislauf-Erkrankungen darstellt.

■ Essen Sie regelmäßig und immer zur gleichen Tageszeit. Nehmen Sie sich Zeit, essen Sie langsam und kauen Sie gut. Mit Genuss zu essen macht viel mehr Spaß und ist außerdem viel gesünder als hektisches Kalorienzählen.

■ Kochen Sie selbst: In Fertiggerichten stecken oft versteckte Fette, Salz und Zucker. Kaufen Sie dazu, wenn das möglich ist, der Saison entsprechendes Gemüse und Obst.

■ Erstellen Sie sich – beispielsweise immer am Sonntag – einen Menüplan für die ganze Woche. Auf diese Weise lauern z. B. auch beim Einkauf weniger Versuchungen, wenn Sie sich an Ihre Essensvorhaben halten.

■ TIPP

HOLEN SIE SICH HILFE

Wenn Sie sich eine Ernährungsumstellung, wie sie hier geschildert wird, überhaupt nicht vorstellen können, holen Sie sich Hilfe: Ernährungsberater, Veranstaltungen der Volkshochschule zu fettbewusstem Kochen oder der Austausch von Erfahrungen mit Gleichgesinnten machen es Ihnen leichter, eine dauerhafte Änderung Ihrer Ernährungsgewohnheiten zu erreichen.

Eine gesunde Mischkost, die reich an pflanzlichen Lebensmitteln wie Vollkorngetreideprodukten, Obst und Gemüse ist und darüber hinaus auch Olivenöl und viel Fisch enthält, stellt die Grundlage für eine Reduktion der Blutfettwerte dar – möglicherweise kennen Sie das auch unter den Begriffen „mediterrane Diät" oder „Mittelmeerdiät".

TIPP

SIE KÖNNEN SCHON VIEL ERREICHEN

- Essen Sie nicht jeden Tag ein Ei, sondern nur noch jeden zweiten Tag.
- Wählen Sie anstatt Butter saure Sahne als Brotaufstrich.
- Lassen Sie die Sahne in den Soßen einmal weg.
- Schneiden Sie beim Fleisch das Fett weg, verwenden Sie besser mageres Fleisch und essen Sie ein- bis zweimal wöchentlich Fisch.
- Wenn Sie das Essen fettarm zubereiten, gilt: eher Grillen oder Dünsten als Braten – oder beschichtete Pfannen verwenden, bei denen wenig Öl zum Braten völlig ausreicht.
- Achten Sie auch auf versteckte Fette beispielsweise in Wurst, Fertiggerichten und Gebäck.

Auch Flüssiges zählt

Auch auf die Getränke sollten Sie achten: Trinken Sie Halbfettmilch (1,5 Prozent Fett) anstatt Vollmilch (3,5 Prozent), für Kaffee und Tee benutzen Sie am besten auch Milch, keine Sahne, und Süßstoff anstelle von Zucker. Obstsäfte sind zwar fettarm, enthalten aber auch reichlich Zucker – achten Sie hier darauf, dass kein zusätzlicher Zucker zugesetzt wurde.

Wählen Sie Produkte, die ausdrücklich „Saft" heißen: Nektare, Fruchtsaftgetränke u. Ä. enthalten wenig Obstsaft und zu einem großen Teil Zucker. Gemüsesäfte sowie Mineralwasser sind hervorragende Alternativen. Eine Auswahl verschiedener Lebensmittel, die geeignet oder ungeeignet für eine fettbewusste, herzgesunde Ernährung sind, zeigt die Tabelle 5 auf S. 69. Lassen Sie sich bei Ihrem nächsten Einkauf doch einmal davon inspirieren.

TABELLE 5: EINKAUFSHILFE FÜR EINE FETTBEWUSSTE ERNÄHRUNG

Produktgruppe	geeignet	mäßig geeignet	ungeeignet
Milch und Milchprodukte	fettarme Milch, Molke, Buttermilch, Magerquark, Hüttenkäse, Sauermilchkäse (z. B. Harzer Käse), Magerkäse (unter 10 Prozent Fett i. Tr., d. h. in der Trockenmasse)	Dosenmilch mit 4 Prozent Fett, Speisequark mit 10 Prozent Fett, saure Sahne (10 Prozent Fett), Käse bis 30 Prozent Fett i. Tr.	Vollmilch, Sahne, Crème fraîche, fettreiche Kondensmilch, Vollmilchjoghurt, Käsesorten mit mehr als 30 Prozent Fett i. Tr.
Fisch	Magerfische wie Kabeljau, Forelle, Seelachs	Meeresfrüchte, Krabben	Aal, panierter Fisch
Wurstwaren	Geflügelwurst, deutsches Corned Beef	magerer Schinken, fettreduzierte Wurstsorten (unter 15 Prozent Fett)	Wurstsorten mit einem Fettgehalt über 20 Prozent, Salami, Leberwurst, Mettwurst
Fleisch	Wild, Geflügel (Hähnchen, Pute)	mageres Rind-, Schweine- oder Lammfleisch, mageres Rinderhackfleisch	fettes Fleisch (Schwein, Rind), Innereien, Speck, Gans, Ente, Fleischkonserven
Getreideprodukte	Vollkornprodukte, Grünkern	helle Auszugsmehle, helle Brotsorten, gezuckertes Müsli, weißer Reis	Croissants, Eiernudeln
Süßspeisen	fettarmer Joghurt, Fertigpudding mit fettarmer Milch, Fruchtpudding		Nugatcreme, Schokoriegel, Sahnejoghurt
Kuchen, Backwaren	Obsttorte, Vollkornzwieback	Hefeteig oder Quark-Öl-Teig	Torten, in Fett Ausgebackenes
Getränke	Kaffee, Tee, Mineralwasser, ungezuckerte Fruchtsäfte, Gemüsesaft		zuckerhaltige Limonaden und Säfte mit Zuckerzusatz
Obst	Frischobst, tiefgefrorenes Obst	gezuckerte Obstkonserven	
Gemüse	alle Arten, gedünstet, als Rohkost (frisch oder Tiefkühlkost)	Gemüsekonserven	
sonstige Produkte	Kräuter, Gewürze, Senf, Essig	Ketchup, Flüssigwürzmittel, Salz	Mayonnaise, Remoulade

Kalorie ist nicht gleich Kalorie

- Ein Gramm Fett enthält 9,3 Kilokalorien.
- Ein Gramm Kohlenhydrate enthält 4,1 Kilokalorien.
- Ein Gramm Eiweiß enthält 4,1 Kilokalorien.

Aber: Eine Fettkalorie entspricht nicht einer Eiweißkalorie oder einer Kohlenhydratkalorie. Obwohl man mit jeder dieser Kalorien (physikalisch betrachtet) auch genau die gleiche Menge an Energie erzeugen kann, werden sie im Stoffwechsel völlig unterschiedlich verarbeitet.

INFO

VORSICHT: GESUND?

Beim Einkaufen im Supermarkt ist es Ihnen sicher auch schon aufgefallen: Lebensmittel, die angeblich gesund sind, gesund machen oder Krankheiten verhindern, sind der Renner. Allerdings ist gemäß der Health-Claims-Verordnung der EU von 2007 vorgeschrieben, dass die angeblichen Vorteile wissenschaftlich belegt werden müssen (sogenannter Wissenschaftsvorbehalt). Ob dieser Beweis als erbracht gilt, entscheidet die Behörde European Food Safety Authority (EFSA).

- Fett wird im Körper meist als Reserve angelegt. Für diese Arbeit werden vier Prozent der gespeicherten Energie verbraucht.
- Kohlenhydrate werden meist direkt verbraucht. Um sie in Fettreserven umzubauen, verbraucht der Körper wesentlich mehr – nämlich 23 Prozent der gespeicherten Energie.
- Eiweiße werden insbesondere in die Bildung von Enzymen, Hormonen oder Muskelzellen investiert. Die Umwandlung von Eiweiß in Fett ist genauso aufwendig wie die der Kohlenhydrate.

„Richtige" Ernährung bedeutet auch, dass das Verhältnis von Eiweiß, Fett und Kohlenhydraten zueinander (sprich die Nährstoffrelation) stimmen sollte. Eine Faustregel für die Zusammensetzung einer gesunden Ernährung lautet:

- Kohlenhydrate sollten ca. 55 bis 60 Prozent der täglichen Kalorienzufuhr,
- Fett nicht mehr als 25 Prozent der Tageskalorien und
- Eiweiß ca. zehn bis 15 Prozent der Tageskalorien ausmachen.

Versuchen Sie's mal vegetarisch oder mit Fisch

Vegetarier weisen oft niedrigere Blutfettwerte auf als Menschen, die nicht auf Fleisch verzichten. Dafür sind verschiedene Faktoren verantwortlich: Der Verzicht auf Wurst und Fleisch führt dazu, dass sie das darin enthaltene Cholesterin und Fett nicht zu sich nehmen – Fett, das darüber hinaus reich an gesättigten Fettsäuren ist. Und auch der sonstige Ernährungsstil mit reichlichem Verzehr von Obst, Gemüse und Vollkornprodukten trägt zu den niedrigeren Blutfettkonzentrationen bei.

Essen Sie regelmäßig Fisch: mindestens zweimal pro Woche. Er enthält reichlich Jod (v. a. Seefisch) und wenig Fett. Aber auch fettreiche Fische wie Makrele, Lachs und Hering sind bei erhöhten Blutfettwerten empfehlenswert, denn sie haben einen hohen Gehalt an Omega-3-Fettsäuren, die wiederum die Blutfettkonzentrationen und die Gesamtzusammensetzung des Blutes günstig beeinflussen. Wer keinen Fisch mag, kann zu Fischölkapseln aus der Apotheke greifen – aber nur nach Absprache mit dem Arzt. Der Grund dafür: Es ist möglich, dass die längere Einnahme von Omega-3-Fettsäuren Risiken für die Gesundheit birgt. Beispielsweise kann die Blutungsneigung verstärkt sein. Wichtig ist dies v. a., wenn man ohnehin Medikamente einnimmt, die die Blutgerinnung beeinflussen, z. B. ASS (Acetylsalicylsäure) enthaltende – etwa, um einem Herzinfarkt oder Schlaganfall vorzubeugen.

Omega-3-Fettsäuren in Fisch wirken sich günstig auf die Zusammensetzung des Bluts und die Blutfettkonzentration aus.

Mehrfach täglich Obst und Gemüse essen

Fünf Portionen Obst und Gemüse am Tag sind ideal. Die Empfehlung ist längst bekannt: Fünfmal am Tag sollte eine Portion Obst oder Gemüse gegessen werden, und das gilt auch und gerade bei einer fettbewussten Ernährung. Aber oft ist nicht so ganz klar, wie man jeden Tag die empfohlenen fünf Portionen in den Speiseplan einbauen kann. Hier ein paar Tipps:

- Trinken Sie zum Frühstück ein Glas Orangensaft.
- Geben Sie eine in Scheiben geschnittene Banane oder eine Handvoll Beeren in Ihr Müsli oder Ihren Joghurt.
- Essen Sie als Vorspeise eine Scheibe Melone oder eine halbe Grapefruit.
- Wählen Sie als Zwischenmahlzeit einen Apfel oder Trockenobst.
- Pürieren Sie fettarme Milch mit Obst Ihrer Wahl, je nach Geschmack und Saison, und schon erhalten Sie einen leckeren Milchshake.
- Essen Sie mit Ihrer Hauptmahlzeit mindestens zwei Sorten Gemüse (oder einen Salat zuvor und eine Portion Gemüse zum Essen).
- Machen Sie Suppen selbst: Tomaten z. B. sind eine gute Grundlage.

INFO

INNOVATION AN DER KÄSETHEKE

Wissenschaftler der Universität in Cambridge haben eine Käsesorte entwickelt, die angeblich die Cholesterinkonzentration im Blut senken kann. Es handelt sich dabei um einen Cheddar, eine besonders in England sehr beliebte Käsesorte.

Unter dem Namen „A Healthy Alternative to Cheese" („eine gesunde Alternative zu Käse") ist er in Großbritannien bereits in Supermärkten erhältlich. Nach Aussage der Experten entspricht das Produkt jedoch in Aussehen, Geschmack und Geruch dem „normalen" Cheddar. Das Neue an dem Käse: Aus der Milch, aus der er hergestellt wird, wurde das Fett zum größten Teil entfernt und durch Pflanzenöl ersetzt – einem Öl mit einem hohen Anteil an pflanzlichen Sterinen, die in ihrem chemischen Aufbau dem Cholesterin ähneln. Sie kommen u. a. in Maiskörnern, Oliven oder Erdnüssen vor.

Auch Margarine wurde bereits nach einem ähnlichen Prinzip hergestellt wie der englische Cheddar – sie soll ebenfalls die Cholesterinkonzentration im Blut senken.

Derartige „maßgeschneiderte Lebensmittel" mit Zusatz von Vitaminen oder Mineralstoffen (sogenanntes „Functional Food") sollen nicht nur einfach ernähren, sondern gleichzeitig die Gesundheit erhalten oder verbessern. Beispielsweise können die Pflanzensterine die Bildung von Vitamin A verhindern, da sie die Konzentration von dessen Vorstufen im Blut senken. Schlimmstenfalls kann das zu einem Vitamin-A-Mangel führen. Besonders für Schwangere und Kleinkinder ist also eher Vorsicht bei diesen „Designer-Produkten" geboten.

Margarine – ja oder nein?

Diese Frage beschäftigt Experten und Verbraucher seit Jahren. Margarine galt früher einmal als wertvolles Lebensmittel, das vor Arteriosklerose schützt und beim Abnehmen hilft. Letzteres ist allerdings ein Irrtum. Denn in normaler Vollfettmargarine stecken genauso viele Kalorien wie in Butter. Trotzdem ist Fett nicht gleich Fett. Und hier kann die Margarine punkten. Denn Margarine wird aus pflanzlichen Fetten wie Raps- oder Sonnenblumenöl hergestellt, die viele gesunde, ungesättigte Fettsäuren enthalten – im Gegensatz zu den vorwiegend gesättigten tierischen Fettsäuren der Butter. Allerdings war der Gehalt an Transfettsäuren in der Margarine immer ein Streitpunkt: Um ihn zu reduzieren, wurde der Herstellungsprozess der Margarine verändert, sodass sie nun zwar weniger Transfettsäuren, dafür aber mehr gesättigte Fettsäuren enthält.

Im Gegensatz zu Butter enthält Margarine gesunde ungesättigte Fettsäuren.

Wer sichergehen will, greift zu Diätmargarine, diese darf keine Transfettsäuren enthalten. Der Hinweis „cholesterinfrei", mit dem manche Hersteller für ihr Produkt werben, ist allerdings überflüssig: Pflanzliche Fette enthalten grundsätzlich kein Cholesterin.

Dunkle Schokolade als Blutfettsenker?

Wissenschaftler haben in einer Studie herausgefunden, dass der Konsum von dunkler Schokolade einen positiven Einfluss auf die LDL-Cholesterinkonzentration im Blut hat.

Die Studie verglich zwei verschiedene Diäten: eine „Durchschnittsdiät" mit einem niedrigen Anteil von Flavonoiden – wasserlöslichen Pflanzenfarbstoffen – und eine Diät, die dunkle Schokolade mit vielen Flavonoiden enthielt. Flavonoiden wird ein Schutz vor der schädlichen Wirkung des LDL-Cholesterins zugeschrieben. 23 Versuchspersonen ernährten sich vier Wochen lang nach einer der beiden Diätvorgaben. Bei der flavonoidreichen Diät nahmen die Teilnehmer täglich zusätzlich zu ihrer normalen Nahrung insgesamt 38 Gramm dunkle Schokolade und Kakaopulver zu sich, während die anderen sich flavonoidarm ernährten. Nach zwei Wochen beliebiger Ernährung wurden die Teilnehmer für weitere vier Wochen der jeweils anderen Diät zugeordnet, nach der sie sich richten sollten. Im Endergebnis lag bei den Testpersonen

unmittelbar nach der Schokolade-Kakao-Diät der Wert des HDL-Cholesterins um vier Prozent höher als nach der normalen Ernährung. Kakao und Schokolade können, in Maßen genossen, also auch zu einer gesunden Ernährung beitragen, so die Studie – besonders in fett- und zuckerarmer Form, wie es Schokolade mit einem Kakaoanteil von mehr als 70 Prozent ist. Trotzdem sollte Schokolade nicht mit anderen Flavonoidlieferanten wie Obst und Gemüse gleichgesetzt werden: Diese enthalten überdies noch Ballaststoffe, Vitamine und Mineralstoffe.

Fette und Öle

Laut der Deutschen Gesellschaft für Ernährung sollte man 70 bis 80 Gramm Fett pro Tag zu sich nehmen.

Die Art der Fette, die mit der Nahrung aufgenommen wird, wirkt sich erheblich auf den Cholesterinspiegel aus. Die Qualität eines Fetts wird durch die in ihm enthaltenen Fettsäuren festgelegt.

Hier wird unterschieden zwischen gesättigten, einfach ungesättigten und mehrfach ungesättigten Fettsäuren. Ungesättigt sind Verbindungen, bei denen eine oder mehrere Doppelbindung(en) im Molekül vorhanden sind bzw. Doppelbindungen zwischen Atomen sind reaktionsfreudig. Die sogenannten freien Radikale, hoch aggressive Substanzen, können die Doppelbindungen der ungesättigten Fettsäuren aufspalten. Auf diese Weise werden die Radikale „gefangen" (Radikalfänger). Gesättigte Fettsäuren weisen im Gegensatz dazu eine deutlich stabilere chemische Struktur auf, die im menschlichen Körper wesentlich schwerer aufgebrochen werden kann. Aus diesem Grund werden sie auch bevorzugt in die Fettdepots verschoben und dann dort gelagert.

Eine höhere Zufuhr von einfach und mehrfach ungesättigten Fettsäuren, und damit weniger gesättigten Fettsäuren, führt zu einer vermehrten Aufnahme des LDL-Cholesterins in der Leber (Vermehrung der LDL-Rezeptoren an der Außenseite der Leberzellen). Dadurch sinkt die LDL-Cholesterinkonzentration im Blut. Tierische Fette enthalten einen hohen Anteil an gesättigten Fettsäuren. Hingegen sind pflanzliche Fette reich an mehrfach ungesättigten Fettsäuren. Einfach ungesättigte Fettsäuren finden sich sowohl in tierischen als auch in pflanzlichen Lebensmitteln.

Die Hälfte dieser „Tagesdosis" an Fetten nimmt man bereits durch vier Esslöffel Butter, Margarine oder Öl auf.

Die sogenannte Drittel-Regel besagt: Bei der Nahrungsaufnahme sollten im Idealfall einerseits zu maximal einem Drittel gesättigte und mehrfach ungesättigte und andererseits zu mindestens einem Drittel einfach ungesättigte Fettsäuren aufgenommen werden.

Optimal ist, wenn ca. die Hälfte des gesamten Fettanteils als einfach ungesättigte Fettsäuren und nur jeweils ein Viertel als gesättigte und mehrfach ungesättigte Fettsäuren mit der Nahrung zugeführt wird. Da das in der Realität aber oft schwer zu verwirklichen ist, wird die „Drittel-Regel" (s. S. 74) als akzeptabler Kompromiss betrachtet. In der folgenden Tabelle 6 finden Sie die durchschnittliche Fettsäurenzusammensetzung einiger pflanzlicher und tierischer Nahrungsmittel.

Durch die Senkung der Gesamtfettzufuhr und der Zufuhr an gesättigten Fettsäuren wird gleichzeitig die Cholesterinaufnahme verringert, da Cholesterin gemeinsam mit gesättigten Fettsäuren in den fettreichen Lebensmitteln tierischer Herkunft vorkommt.

TIPP

KONSISTENZTEST

Der „Härtetest" zeigt, ob ein Nahrungsfett eher gesättigte oder ungesättigte Fettsäuren enthält: Fette, die im Kühlschrank fest werden, enthalten bevorzugt gesättigte Fettsäuren (z. B. Butter). Bleiben die Fette dagegen auch in der Kälte flüssig, dann enthalten sie einen hohen Anteil ungesättigter Fettsäuren (z. B. Pflanzenöle).

TABELLE 6: DIE ZUSAMMENSETZUNG VON FETTSÄUREN IN VERSCHIEDENEN NAHRUNGSMITTELN

Fett	gesättigte FS (in Prozent)	einfach ungesättigte FS (in Prozent)	mehrfach ungesättigte FS (in Prozent)
Tierische Fette			
Milchfett	60	37	3
Butter	71	24	5
Pflanzliche Fette			
Olivenöl	19	73	8
Erdnussöl	19	50	31
Sojaöl	14	24	54
Sonnenblumenöl	8	27	65
Distelöl	10	15	75
Sesamöl	17	40	34
Rapsöl	6	63	31
Walnussöl	49	10	41

VORSICHT: VERSTECKT

Aus einer wissenschaftlichen Studie geht auch hervor, dass wir die Fette zu 70 Prozent als versteckte Fette aufnehmen. Sie sind in Lebensmitteln enthalten, denen man ihren Fettgehalt – anders als bei sichtbaren Fetten, die man aufs Brot streicht oder zum Braten und Backen verwendet – auf den ersten Blick nicht immer ansieht. Diese geheimen „Fettmacher" muss man erkennen: Schauen Sie auf das Etikett der Verpackung, hier muss die Zusammensetzung des Lebensmittels und damit auch der Fettanteil angegeben sein (häufig allerdings nur äußerst klein gedruckt). Einen hohen Gehalt an versteckten Fetten haben beispielsweise Wurst, Schokolade und Milcheis.

Gesättigte Fettsäuren lassen also den Cholesterinspiegel ansteigen. Folgende Hinweise können helfen, erhöhte Blutfettwerte zu senken, um einer Arteriosklerose vorzubeugen:

- Meiden Sie fettes Fleisch (Schwein, Rind oder Geflügel), wählen Sie stattdessen mageres Fleisch vom Rind, Lamm oder Wild. Alle Gerichte sollten stets fettarm zubereitet werden.
- Ersetzen Sie fette Wurstwaren durch fettarme Wurstsorten wie mageren kalten Braten, Roastbeef, deutsches Corned Beef (dies nicht aus patriotischen Erwägungen, sondern weil das übliche Corned Beef aus Südamerika, das hierzulande als Konserve erhältlich ist, deutlich mehr Fett und Salz enthält) und Tatar.
- Hähnchen bzw. Huhn und Pute haben einen hohen Anteil an einfach ungesättigten Fettsäuren und einen hohen Eiweißgehalt. Denken Sie allerdings an den teilweise hohen Fettgehalt von Gänse- und Entenfleisch.
- Fisch ist eine hervorragende Alternative zu Fleisch: Kaviar, Meeresfrüchte, Aal und Tintenfisch enthalten allerdings sehr viel Cholesterin.
- Verwenden Sie anstatt Butter, Kokosfett, Mayonnaise oder Remoulade mit einem hohen Gehalt an gesättigten Fettsäuren besser Pflanzenöle wie beispielsweise Oliven-, Sonnenblumen-, Distel- oder Rapsöl.

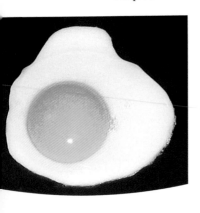

- Das Eigelb eines einzigen Eis enthält bereits die Menge an Cholesterin, die täglich maximal aufgenommen werden soll (250 bis 300 Milligramm). Viele Lebensmittel werden mit Eiern hergestellt.
- Meiden Sie Vollmilch und Vollmilchprodukte und bevorzugen Sie fettarme Erzeugnisse (mit 1,5 Prozent Fettgehalt), Buttermilch, Magerquark oder Hüttenkäse. Allerdings sollten Sie nicht vollkommen auf Milch und Milchprodukte verzichten, denn ohne diese Lebensmittel kann der tägliche Kalziumbedarf nur schwer gedeckt werden.

Unterscheiden Sie zwischen gefährlichen und lebenswichtigen Fetten
- ungünstig: Kokosfett
  - gesättigte Fettsäuren: 92 Prozent
  - einfach ungesättigte Fettsäuren: 6 Prozent
  - mehrfach ungesättigte Fettsäuren: 2 Prozent
- mittelmäßig: Butter
  - gesättigte Fettsäuren: 60 Prozent
  - einfach ungesättigte Fettsäuren: 37 Prozent
  - mehrfach ungesättigte Fettsäuren: 3 Prozent
- günstig: Olivenöl
  - gesättigte Fettsäuren: 14 Prozent
  - einfach ungesättigte Fettsäuren: 77 Prozent
  - mehrfach ungesättigte Fettsäuren: 9 Prozent

Fettsparen fängt beim Kochen an

Die Zubereitungsart mancher Lebensmittel spielt beim Kochen eine nicht unwesentliche Rolle, so werden einige Gemüsesorten leider häufig mit Butter oder Öl angebraten bzw. mit fetthaltigen Soßen serviert.

TIPP

SO SPAREN SIE FETT!

- Vermindern Sie Streichfett wie Margarine bzw. Butter. Streichen Sie nur eine dünne Schicht auf oder (noch besser): Verwenden Sie anstelle von Streichfett Senf, Tomatenmark oder Sauerrahm (10 Prozent). Bei fetteren Wurst- bzw. Käsesorten wie Leberwurst, Mettwurst oder Käse mit mehr als 30 Prozent Fettgehalt können Sie das Streichfett auch ganz weglassen.
- Reduzieren Sie in Ihrem Speiseplan Nahrungsmittel mit hohem Gehalt an versteckten Fetten: Wählen Sie fettarme Wurst- und Käsesorten oder greifen Sie zu pflanzlichen Brotaufstrichen wie Tomaten- oder Paprikamark anstatt zu Wurst oder Käse.
- Für Fans von süßem Brotaufstrich: Essen Sie statt Nussnugatcreme besser ein wenig Marmelade oder Honig auf dem Brot.
- Tauschen Sie vollfette Milchprodukte (3,5 Prozent Fett) gegen fettarme aus (1,5 Prozent bzw. 30 Prozent Fett in der Trockenmasse beim Käse).
- Beim Knabbern sind Popcorn (5 Gramm Fett auf 100 Gramm) eine bessere Wahl als Kartoffelchips (40 Gramm Fett auf 100 Gramm) oder geröstete Erdnüsse (48 Gramm Fett auf 100 Gramm). Auch eingelegte Gemüsestückchen (Mixed Pickles) oder Salzstangen sind eine Alternative; naschen Sie anstatt Schokolade lieber Gummibärchen und Obst (frisch oder getrocknet).

NOCH MEHR TIPPS ZUM FETTSPAREN

- Greifen Sie zu Müsli ohne Nüsse, Sonnenblumenkerne und Schokostückchen. Am besten kaufen Sie verschiedene Vollkorngetreideflocken und mischen Ihr Müsli selbst – so wissen Sie genau, was drin ist und vermeiden den Zucker, der in Fertigmüslis oft in großen Mengen zugesetzt ist.
- Wählen Sie Putensteak oder Hähnchenbrust anstatt Brat- oder Bockwurst.
- Tauschen Sie Pommes frites, Bratkartoffeln, Kroketten oder Rösti gegen Vollkornreis, Vollkornnudeln oder Kartoffeln aus.
- Wählen Sie zum Nachmittagskaffee oder zum Sonntagsfrühstück Obstkuchen anstelle von Sahnetorte, Hefegebäck anstatt Blätterteig bzw. Biskuitschnitten.
- Eintöpfe, Suppen, Soßen oder Fonds können Sie über Nacht in den Kühlschrank stellen und dann das erstarrte Fett von der Oberfläche abnehmen.
- Binden Sie Soßen fettfrei: Verwenden Sie statt Sahne z. B. püriertes Gemüse oder Getreideflocken.
- Koch- und Bratfett können Sie reduzieren, indem Sie fettarme Garmethoden wählen, z. B. Dünsten, Dämpfen, Grillen, Garen in Folie und im Römertopf.
- Seien Sie penibel: Messen Sie Öl für Salate und zum Kochen teelöffelweise ab.
- Verwenden Sie beschichtete Pfannen und Töpfe und bepinseln Sie den Boden der Pfannen nur dünn mit Öl.
- Bereiten Sie Pudding, Cremes, Milchreis oder Kartoffelpüree am besten mit fettarmer Milch zu.
- Grillen Sie Fleisch bzw. Fisch, anstatt zu panieren.
- Kochen Sie Eintöpfe nicht mit Speck, sondern mit magerem Rindfleisch.

Eine bewusste Fettauswahl in der Ernährungspraxis bedeutet somit, dass Nahrungsmittel bevorzugt werden, die besonders viele einfach und mehrfach ungesättigte Fettsäuren enthalten (z. B. Oliven-, Distel- und Sonnenblumenöl, ungehärtete Pflanzenmargarine, Nüsse etc.). Den Verzehr von Nahrungsmitteln mit gesättigten Fettsäuren (z. B. Wurst, Käse, Speck, Fleisch etc.) sollten Sie einschränken und fettarmen Produkten den Vorzug geben.

Eine kleine Ölkunde

Speiseöle werden hergestellt, indem die zerkleinerten Ölsamen oder -früchte unter hohem Druck und mehr oder weniger hoher Temperatur ausgepresst werden. Aber beachten Sie: Nicht jedes Öl ist auch für alle Zubereitungsarten geeignet.

Manche Öle bilden bei zu langem oder zu starkem Erhitzen gesundheits-schädliche Substanzen. Jedes Speiseöl hat spezifische Eigenschaften, die seine Eignung zum Erhitzen (Braten) oder für die kalte Küche (Salate) be-stimmen. Öle, die reichlich einfach oder mehrfach ungesättigte Fettsäuren enthalten, wirken sich positiv auf die Blutfettwerte aus.

- Heiß gepresste Öle sind sozusagen Allround-Talente. Sie können stark erhitzt, also zum Braten verwendet, oder kalt gegessen werden – sie sind also auch für Salatsoßen geeignet.
- Kalt gepresste Öle, wie natives Olivenöl, schmecken nach den Früch-ten, aus denen sie hergestellt wurden. Aber nicht nur Oliven, auch viele andere Früchte werden kalt gepresst. Sie eignen sich besonders gut für Salatsoßen, Vorspeisen und Nachtische. Da sie schonender hergestellt werden als die heiß gepressten Öle, enthalten sie noch viele wertvolle Inhaltsstoffe wie Fettsäuren und Vitamine.

Kalt gepresste Öle sind vielfältig einsetzbar.

- Öle, die einen hohen Gehalt an mehrfach ungesättigte Fettsäuren auf-weisen, zersetzen sich sehr leicht bei zu großer Hitze – verwenden Sie sie also eher für Salatsoßen oder allenfalls zum kurzen Anbraten, Dünsten und zum Schmoren.
- Einen hohen Gehalt an einfach ungesät-tigten Fettsäuren besitzen Oliven- und Rapsöl. Falls es sich um die kalt gepress-te Variante handelt, sind sie nicht sehr hitzestabil. Die anderen Arten eignen sich gut zum Braten von Fisch oder Fleisch.

TIPP

ACHTUNG: FRITTEUSE

Bitte beachten Sie: Öle eignen sich nicht zum Frittieren. Dafür dürfen nur spezielle, sehr hitzebeständige Brat- und Frittierfette verwendet werden.

Machen Sie es wie die Eskimos

Auch Menschen ohne hohe Cholesterinwerte können mit cholesterinar-mer Ernährung einiges zum Schutz ihrer Gefäße tun – so wie die Eskimos: Sie essen viel Fisch und leiden dadurch kaum unter Herzproblemen. Besonders Fisch aus kalten Gewässern wie Lachs und Thunfisch enthält nur wenige gesättigte Fettsäuren, ist aber reich an ungesättigten Omega-3-Fettsäuren. Diese wirken einer Erhöhung der Triglyzerid- und Choles-terinspiegel entgegen und sollen Arteriosklerose vorbeugen. Nur etwa ein Prozent der Eskimobevölkerung, das sich noch von viel Fisch ernährt, leidet an Herz-Kreislauf-Erkrankungen.

Omega-3-Fettsäuren: Was ist dran?

Omega-3-Fettsäuren gehören zu den essenziellen Fettsäuren, d. h. der Körper kann sie nicht selbst bilden, sondern muss sie mit der Nahrung zuführen. Essenziell sind auch die Omega-6-Fettsäuren, deren Anteil an der Ernährung in den letzten Jahrzehnten gestiegen ist. Lag das Verhältnis von Omega-6- zu Omega-3-Fettsäuren in der Nahrung unserer Vorfahren noch bei etwa 4:1, beträgt es heute aufgrund unserer Ernährungsgewohnheiten in Europa und den USA bis zu 20:1.

Was ist was?

Zu den Omega-6-Fettsäuren gehören die Linolsäure und die Arachidonsäure. Aus Linolsäure kann Arachidonsäure gebildet werden. Und mit deren Hilfe können dann z. B. Entzündungsprozesse bei Arthrose positiv beeinflusst werden. Die wichtigsten Omega-3-Fettsäuren sind die Alpha-Linolensäure, die Eicosapentaensäure (EPA) und die Docohexaensäure (DHA).

Wo ist das Problem?

Omega-6 und Omega-3 konkurrieren im Körper um die gleichen Stoffwechselwege. Ist Omega-6 im Überschuss vorhanden, kann die Umwandlung von Alpha-Linolensäure in die Omega-3-Fettsäuren EPA und DHA nicht erfolgen. Diese Fettsäuren behindern eine Erhöhung der Triglyzerid- und Cholesterinkonzentration und beugen Arteriosklerose vor. Deshalb muss das Verhältnis von Linolsäure zu Alpha-Linolensäure bei der Ernährung ausgewogen sein. Studien haben gezeigt, dass ein Zusammenhang zwischen der Zufuhr von Alpha-Linolensäure und z. B. der Häufigkeit von plötzlichem Herztod besteht.

Seien Sie aktiv!

Die Deutsche Gesellschaft für Ernährung empfiehlt ein 5:1-Verhältnis von Omega-6 zu Omega-3. Stimmt man seine Ernährung darauf ab, ist die Fettsäurezufuhr optimal und man kann sein persönliches Risiko für Herz-Kreislauf-Erkrankungen deutlich senken. Reich an Omega-3-Fettsäuren sind beispielsweise Fettfische wie Hering, Makrele, Lachs oder Thunfisch.

Cholesterin

Neben der Reduzierung der Fettzufuhr und der Beachtung der Fettart (genauer: der Zusammensetzung der Fettsäuren) spielt auch die Höhe der Cholesterinzufuhr bei der Therapie von Fettstoffwechselstörungen eine Rolle – wenn auch keine so bedeutende, wie man früher gedacht hat. Zwar lässt Cholesterin den Cholesterinspiegel im Blut ansteigen, aber nicht so stark wie die gesättigten Fettsäuren. Das mag verblüffend klingen, hängt aber mit den speziellen Regelmechanismen im Fettstoffwechsel zusammen:

Man muss also nicht den Cholesteringehalt seiner täglichen Speiseplanung ausrechnen. Nahrungscholesterin als schädlicher Einfluss auf den Fettstoffwechsel wurde lange Zeit überschätzt. Es ist sinnvoller, eine insgesamt fettarme Kost zusammenzustellen, denn die Verminderung des Fetts ist die entscheidende Maßnahme, um die Cholesterinkonzentration im Blut zu senken. Die Verminderung von gesättigten Fettsäuren und Cholesterin geht damit Hand in Hand, denn die meisten tierischen Lebensmittel enthalten neben reichlich gesättigten Fettsäuren auch viel Cholesterin.

Die Zufuhr besonders cholesterinreicher Lebensmittel sollte allerdings möglichst eingeschränkt werden: Eigelb und Innereien sind die größten Cholesterinsünden. Aber auch fetter Käse, Butter und Sahne, die Haut auf dem Brathähnchen sowie Schalentiere (z. B. Krabben) enthalten reichlich Cholesterin. Die folgende Aufzählung gibt einige Anhaltspunkte, wo Sie Cholesterin sparen können. In 100 Gramm verzehrfähigen Lebensmitteln sind an Cholesterin etwa enthalten:

- Butter: 280 Milligramm
- Wurst oder Sahne: 100 Milligramm
- Rind- oder Schweinefleisch: 90 Milligramm
- Geflügel: 70 Milligramm

- Hering: 60 Milligramm
- Käse (20 bis 40 Prozent Fett i. Tr.): 20 bis 50 Milligramm
- Vollmilch: 12 Milligramm
- Margarine oder Pflanzenöl: 0 Milligramm

Der Durch-schnittsbürger verzehrt mit bis zu 140 Gramm Fett am Tag deutlich mehr, als gut für ihn ist.

Umgekehrt ist es vielleicht praktikabler: International wird empfohlen, täglich nicht mehr als etwa 300 Milligramm Cholesterin aufzunehmen. Durchschnittlich kommt der Bundesbürger aber eher auf das Doppelte. Schuld daran ist der relativ hohe Verbrauch fettreicher und damit gleichzeitig cholesterinhaltiger Lebensmittel wie Eier, Butter, Käse und Sahne. 300 Milligramm Cholesterin sind jeweils enthalten in:

- einem Eigelb
- 120 Gramm Butter
- 300 Gramm Käse
- 120 Gramm Leber
- 200 Gramm Krabben

INFO

EIER

Eier kommen immer wieder aufgrund ihres hohen Cholesteringehalts ins Gerede. Aber in Eiern steckt auch viel Positives, nämlich biologisch hochwertiges Nahrungseiweiß, also Eiweiß, das der Körper besonders gut nutzen kann. Außerdem stellen sie eine wesentliche Quelle für die Vitamine A, D, B12 und Biotin dar und sind reich an Mineralstoffen wie Eisen, Kalzium und Selen. Dass allerdings braune Eier gesünder sein sollen als weiße, ist ein Märchen.

Kohlenhydrate

Kohlenhydrate gehören zu den wichtigsten Energielieferanten des Körpers. Man unterscheidet zwischen kurzkettigen – aus einem oder zwei Zuckermolekülen bestehenden – und langkettigen – aus mehreren Zuckermolekülen bestehenden – Kohlenhydraten.

Kurzkettige Kohlenhydrate sind für den Körper schnell verwertbar, da sie nicht erst verstoffwechselt werden müssen. Sie werden leicht vom Darm ins Blut aufgenommen und erzeugen dort hohe Blutzuckerkonzentrationen. Die Kohlenhydrate werden verbrannt und in Energie umgewandelt, wenn körperlich gearbeitet wird. Ohne körperliche Anstrengung, also bei fehlendem Energiebedarf, werden sie mithilfe von Insulin in Fett umgewandelt und dann schließlich im Fettgewebe gespeichert.

Komplexe, langkettige Kohlenhydrate müssen im Darm erst in einzelne Zuckermoleküle aufgespalten werden, bevor sie ins Blut aufgenommen werden können. Es dauert daher länger, bis sie ins Blut gelangen; die Zuckerkonzentration im Blut steigt nicht so schnell an, fällt aber dafür auch langsamer ab. Komplexe Kohlenhydrate decken den Energiebedarf des Körpers gleichmäßiger, und eine Umwandlung in Fett und Speicherung im Fettgewebe sind nicht erforderlich.

Kohlenhydratreiche Nahrung kann den Cholesterinspiegel genauso positiv beeinflussen wie bewusst ausgewählte und richtig bemessene Fette. Kohlenhydrate sollten mehr als die Hälfte (50 bis 55 Prozent) der täglich aufgenommenen Energie ausmachen. Am besten gelingt das, wenn man zu einer ballaststoffreichen Mischkost greift, die Getreidevollkornprodukte, Gemüse, Hülsenfrüchte, Kartoffeln und Obst enthält – das sind allesamt fettarme Lebensmittel.
Wie schnell oder langsam Kohlenhydrate die Blutzuckerkonzentration erhöhen, wird anhand des glykämischen Index (GI) bestimmt: Je höher der GI eines Kohlenhydrats, desto eher wird aus ihm Fett gebildet und gespeichert. Umgekehrt führen Kohlenhydrate mit einem niedrigeren GI nicht oder nur in geringem Ausmaß zu einer Fettbildung. Optimalerweise baut man in den Speiseplan also Kohlenhydrate mit niedrigem GI ein, zu solchen mit hohem GI sollte man nur ausnahmsweise greifen.
Normaler Haushaltszucker enthält im Übrigen ausschließlich leere Kalorien, also nur Kalorien, keine Mineralstoffe oder Vitamine. Er hat also einen sehr hohen GI und wird zum größten Teil in Fett umgewandelt. Trinken Sie daher Limonaden nur in Maßen oder wählen Sie die gesündere Alternative: beispielsweise Wasser, dem etwas Zitronensaft zugefügt wurde. Für Süßigkeiten und süße Milchprodukte (z. B. fertig zubereiteten Milchreis, Fertigpuddings) gilt Ähnliches: Sie müssen nicht ganz darauf verzichten, aber ernähren Sie sich nicht ausschließlich davon.

VORSICHT BEIM GLYKÄMISCHEN INDEX

Einen hohen glykämischen Index haben beispielsweise normaler Haushaltszucker, Weißbrot, Kekse, Schokolade, Kartoffelpüree, Cornflakes, Nudeln aus Weißmehl, Limonade, Cola-Getränke oder Bier. Von diesen Lebensmitteln nehmen Sie am besten mit seltenen Ausnahmen Abstand. Lebensmittel mit mittlerem glykämischen Index, wie Honig, Bananen, Melonen, Spaghetti oder weißen Reis sollte man zusammen mit fettreichen Lebensmitteln zurückhaltend genießen. Lebensmittel mit niedrigem glykämischen Index sollten Sie bevorzugen: Das sind beispielsweise Vollkornbrot, Haferflocken, Naturreis, Vollkornnudeln, Gemüse und Obst, Fisch, ungesüßte Milchprodukte, getrocknete Feigen und getrocknete Aprikosen, Marmeladen ohne Zuckerzusatz, Fruchtzucker oder dunkle Schokolade.

Ballaststoffe

Ballaststoffe tragen ihren Namen zu Unrecht – sie sind keineswegs unnützer Ballast. Ganz im Gegenteil: Obwohl oder gerade weil sie nicht verdaut, also vom Körper aufgenommen werden können, spielen sie eine wichtige Rolle bei der Förderung der Darmtätigkeit. Sie können darüber hinaus zur Senkung erhöhter Blutfettwerte beitragen. Der menschliche Darm kann sie nicht aufspalten, sie werden also unverdaut ausgeschieden. Durch ihre Fähigkeit, Wasser zu binden, können sie jedoch sowohl die Stuhlmenge erhöhen als auch den Reiz auf die Darmwand verstärken und so die Darmtätigkeit anregen. Ballaststoffe stammen fast ausschließlich aus Pflanzen und weisen die unterschiedlichsten chemischen Strukturen auf.

Viele Ballaststoffe in der täglichen Ernährung bewirken daneben automatisch eine geringere Energiedichte (= weniger Kalorien), eine geringere Zufuhr von Fett, von einfachen Kohlenhydraten und auch tierischem Eiweiß und dementsprechend eine höhere Zufuhr komplexer nährstoffreicher Kohlenhydrate.

Nehmen Sie jeden Tag reichlich Ballaststoffe zu sich. Reichlich heißt: mindestens 30 bis 40 Gramm. Die Tabelle 7 auf der S. 85 hilft bei der Auswahl. Geben Sie dabei Vollkornprodukten (bei Brot, Reis, Nudeln, Gebäck) den Vorzug: Sie sind reich an Ballaststoffen und haben gegenüber Weißmehlprodukten viele Vorteile, die den Fettstoffwechsel, das Gewicht, die Verdauung und somit auch Ihr allgemeines Wohlbefinden positiv beeinflussen können.

Gute Lieferanten für Ballaststoffe

- Gemüse, Salat, Obst (die außerdem noch sekundäre Pflanzenstoffe liefern)
- Kartoffeln, Hülsenfrüchte
- Obst
- Trockenfrüchte
- Naturreis
- Vollkornprodukte
- Hirse und Grünkern (Dinkel)
- Haferkleie (ein Nahrungsergänzungsmittel mit einem sehr hohen Ballaststoffanteil)

Es hat sich gezeigt, dass wasserlösliche Ballaststoffe einen günstigeren Einfluss auf den Cholesterinspiegel haben als wasserunlösliche. Ihre cholesterinsenkende Wirkung lässt sich durch die auf S. 86 erläuterten drei unterschiedlichen Mechanismen erklären.

TIPP

BALLASTSTOFFE SIND GUT GEGEN DIABETES

Die reichliche Aufnahme unlöslicher Ballaststoffe, die insbesondere in Vollgetreide enthalten sind, kann das Risiko für Diabetes mellitus senken. Wenn Sie jeden Tag 30 Gramm Weizen oder Hafer zu sich nehmen, können Sie damit bereits den Blutzuckerspiegel senken, ohne gleichzeitig die Insulinausschüttung zu erhöhen. Und da Diabetes ein zusätzlicher Risikofaktor für die Arteriosklerose ist, schlagen Sie mit Ballaststoffen zwei Fliegen mit einer Klappe!

TABELLE 7: GEHALT VON BALLASTSTOFFEN (B.) IN LEBENSMITTELN

Lebensmittel	Ballaststoffgehalt in Gramm	Anteil an wasserlöslichen B. in Prozent	Anteil an wasserunlöslichen B. in Prozent
Vollkornreis	4,0	27,5	72,5
Roggen	13,4	76,1	23,9
Vollkornnudeln (gekocht)	4,4	15,9	84,1
Nudeln (gekocht)	1,5	26,7	73,3
Rosenkohl	4,4	75	25
Weißkohl	3,0	73,3	26,7
Möhren	2,9	51,7	48,3
Erbsen	5,0	80	20
weiße Bohnen	7,5	45,3	54,7
Äpfel	2,3	47,8	52,2
Pflaumen (getrocknet)	9,0	45,6	54,4

BALLAST IST NICHT GLEICH BALLAST

Die Art der Ballaststoffe kann die Senkung der Cholesterinkonzentration unterschiedlich stark beeinflussen.

So wurde in einer Studie u. a. eine signifikante Senkung der Cholesterinkonzentration im Blut v. a. durch Pektin (in Äpfeln enthalten) sowie den hohen Anteil wasserlöslicher Ballaststoffe in Haferflocken und Bohnen ermittelt. Haferflocken in einer Dosis von 120 bis 140 Gramm pro Tag (das sind etwa acht bis zehn Esslöffel) senken nach drei Wochen die Cholesterinkonzentration um acht bzw. zwölf Prozent des Ausgangswertes, wobei ausschließlich die Konzentration des „schlechten" LDL-Cholesterins bei den Probanden der Studie gesenkt wurde, während die des „guten" HDL-Cholesterins anstieg.

Verminderung der Aufnahme von Gallensäuren im Darm

Cholesterin ist Grundbaustein der primären Gallensäuren. Diese werden zur Unterstützung der Fettverdauung in den oberen Dünndarm abgegeben. In unteren Darmabschnitten werden sie erneut ins Blut aufgenommen (rückresorbiert) und stehen dann dem Körper wieder zur Verfügung. Ballaststoffe binden die primären Gallensäuren, und diese werden in größerer Menge mit dem Stuhl ausgeschieden. Da aber Gallensäuren für den Fettstoffwechsel im Körper erforderlich sind, müssen sie neu gebildet werden. Dazu wird im Körper vorhandenes Cholesterin verwendet, und so sinkt der Cholesterinspiegel im Blut.

Verkürzung der Transitzeit

Die Zeit zwischen Aufnahme und Wiederausscheiden der Nahrung wird verkürzt. Besonders wasserunlösliche Ballaststoffe quellen stark auf, erhöhen so das Volumen des Stuhls und verkürzen die Zeit, die der Speisebrei im Darm verweilt. So kann weniger Cholesterin aus dem Darm ins Blut aufgenommen werden.

Hemmung der Cholesterinsynthese

Im Dickdarm werden Ballaststoffe von Bakterien zu sogenannten kurzkettigen Fettsäuren abgebaut, die zu Propionat, einer Karbonsäure mit nur drei Kohlenstoffatomen, umgewandelt werden. Propionat wandert durch die Wand des Dickdarms ins Blut, von dort zur Leber und unterbindet dort die Aktivität des für die Cholesterinsynthese benötigten Enzyms HMG-CoA-Reduktase. Dadurch wird weniger Cholesterin im Körper neu gebildet.

Sekundäre Pflanzenstoffe

Sekundäre Pflanzenstoffe sind eine Gruppe verschiedenster Inhaltsstoffe von Pflanzen, die die Gesundheit fördern, aber auch negativ beeinflussen können. In einer ausgewogenen Mischkost allerdings stehen die positiven Einflüsse eindeutig im Vordergrund. Experten gehen davon aus, dass zwischen 60.000 und 100.000 sekundäre Pflanzenstoffe existieren. Einige davon können die Blutfettkonzentrationen im menschlichen Körper günstig beeinflussen. Am wichtigsten in dieser Gruppe sind:

Faustregel:
Essen Sie mehr pflanzliche Produkte und weniger tierische.

- Saponine – hierunter versteht man Abkömmlinge von Zuckern (Glykoside), die besonders in Hülsenfrüchten (Erbsen, Linsen, weißen Bohnen) enthalten sind. Sie wirken über zwei verschiedene Mechanismen auf den Cholesterinspiegel: auf direktem Weg, indem sie im Darm das dort vorhandene Cholesterin aus der Nahrung binden und so die Cholesterinmenge, die in den Körper aufgenommen werden kann, vermindern, und auf indirektem Weg, indem sie primäre Gallensäuren binden. Sie sorgen dafür, dass diese vermehrt über den Stuhl aus dem Körper ausgeschieden werden. Die Gallensäuren, die der Körper benötigt, müssen also in der Leber neu gebildet werden. Dafür wird Cholesterin aus dem Körper verwendet, und der Cholesterinspiegel im Blut sinkt – das Wirkprinzip ähnelt also dem der Anionenaustauscherharze (s. S. 57). Saponinhaltige Lebensmittel können die Behandlung eines erhöhten Cholesterinspiegels also unterstützen.

- Phytosterine – das sind cholesterinähnliche Substanzen, die hauptsächlich in Samen und Hülsenfrüchten wie Mais oder Sonnenblumen, aber auch in Oliven und Erdnüssen vorkommen. Im Darm konkurrieren diese Stoffe mit dem Cholesterin um die Aufnahme ins Blut und um den Einbau ins menschliche Gewebe. Das überschüssige Cholesterin wird dann ausgeschieden. Dass Phytosterine die Cholesterinkonzentration im Blut senken können, gilt als gesichert.

  Phytosterine können bei einer Zufuhr von bis zu drei Gramm pro Tag die Aufnahme von

Karotinoiden hemmen, die als Vorstufe für die Bildung von Vitamin A im Körper erforderlich sind. Dies kompensiert man durch die Umstellung auf eine vollwertige Ernährung mit viel Gemüse und ausreichend Obst. Der Wissenschaftliche Ausschuss „Lebensmittel" der EU empfiehlt, täglich nicht mehr als drei Gramm Pflanzensterine (= Phytosterine) aufzunehmen. Wenn Phytosterine als „Functional Foods" (s. S. 72) der Margarine zugesetzt werden, muss in unmittelbarer Nähe des Produktnamens der Hinweis „mit Pflanzensterin-/Pflanzenstanolzusatz" angebracht werden. In der Auflistung der Zutaten muss außerdem die genaue Menge der Phytosterinen aufgeführt werden. Weitere Angaben sollen sicherstellen, dass die Konsumenten diese Kennzeichnung richtig verstehen. Es muss darauf hingewiesen werden, dass das Produkt nur für Menschen bestimmt ist, die die Cholesterinkonzentration im Blut senken wollen, dass das Produkt für schwangere und stillende Frauen und für Kinder unter fünf Jahren nicht geeignet ist und dass Patienten unter Behandlung mit cholesterinsenkenden Medikamenten das Produkt nur zu sich nehmen sollten, wenn der behandelnde Arzt einverstanden ist.

- Tocotrienole – das sind Verwandte von Vitamin E und v. a. in Samen und Öl von Gerste, Hafer und Roggen enthalten. Sie vermindern die körpereigene Cholesterinbildung in der Leber durch Hemmung des Enzyms HMG-CoA-Reduktase (s. S. 15), ihr Wirkprinzip entspricht also dem der Statine aus dem Kapitel „Therapie", s. S. 54 ff.

- Sulfide – das sind Schwefelverbindungen und kommen hauptsächlich in Zwiebeln und Knoblauch vor. Alliin, der wichtigste Bestandteil des Knoblauchs, kann ebenfalls die Bildung von Cholesterin in der Leber vermindern.

INFO

EINE SONDERFORM: REINE HYPERTRIGLYZERIDÄMIE

Für die Ernährung bei Hypertriglyzeridämie gelten die bereits genannten Prinzipien und zusätzlich Folgendes:

- Meiden Sie schnell aufspaltbare Kohlenhydrate wie einfachen Haushaltszucker, Zuckeraustauschstoffe, Traubenzucker und Lebensmittel, die diese enthalten: zuckerhaltige Limonaden, Gebäck, Torten Schokoriegel etc. Gegen künstliche Süßstoffe wie Zyklamat oder Saccharin ist dagegen nichts einzuwenden, sie erhöhen die Triglyzeridkonzentration im Blut nicht.
- Bevorzugen Sie Vollkornprodukte.
- Bauen Sie in Ihren Speiseplan regelmäßig Lachs, Makrele und Hering ein. Die darin enthaltenen Omega-3-Fettsäuren (s. S. 80) führen zu einer Verminderung des Triglyzeridspiegels.
- Verzichten Sie auf Alkohol.

Übergewicht abbauen

Durch eine Reduktion von Übergewicht kann die Konzentration des schützenden HDL-Cholesterins im Blut erhöht bzw. die des schädlichen LDL-Cholesterins gesenkt werden. Wenn Sie also übergewichtig sind und erhöhte Blutfettwerte haben, sollten Sie unbedingt abnehmen. Doch was ist eigentlich Übergewicht?

Praktikabler als diese wissenschaftliche Definition ist es, sich an Messwerten wie dem Body Mass Index (BMI, s. S. 32) oder der Waist-to-Hip-Ratio (WHR, s. S. 31) zu orientieren – wobei man statt der WHR auch den Bauchumfang (gemessen auf Höhe des Bauchnabels) nehmen kann.

Die beiden letzteren Messmöglichkeiten beziehen im Gegensatz zum BMI auch die Verteilung des Fettgewebes am Körper mit in die Bewertung ein. Das ist wichtig, denn in den letzten Jahren haben Wissenschaftler festgestellt, dass Fett am Bauch für das Herz-Kreislauf-System wesentlich gefährlicher ist als das Fett, das sich an Hüften, Po und Oberschenkeln ansammelt.

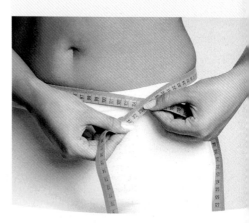

> **INFO**
>
> ## DEFINITION ÜBERGEWICHT
>
> Übergewicht ist ein im Vergleich zur Norm erhöhtes Körpergewicht, das durch einen vermehrten Körperfettanteil bedingt ist.

Zu denken „Rund – na und?" ist in gewisser Weise berechtigt, aber nur bis zu einem gewissen Grad, ab dem nämlich rund gleich ungesund ist: Ab hier ist das Risiko für verschiedene Herz-Kreislauf-Erkrankungen, Diabetes mellitus, Stoffwechselerkrankungen, aber auch für Wirbelsäulen- und Gelenkbeschwerden deutlich erhöht. Übergewicht belastet das Herz, denn es muss mehr Fettgewebe mit Blut versorgt werden, das Herz muss mehr arbeiten. Experten betrachten heute einen BMI von 30 und mehr als deutliches Indiz für Übergewicht und sehen diesen als Gesundheitsgefahr an. Werte zwischen 25 und 30 sind grenzwertig. Beim Bauchumfang sollten es maximal 88 Zentimeter bei Frauen bzw. 102 Zentimeter bei Männern sein.

Der BMI ist der Quotient aus Körpergewicht und Körpergröße zum Quadrat.

Gern wird auch bei der Einordnung in Körpertypen von „Apfel-" (Fett v. a. im Bauchbereich) bzw. „Birnenform" (Fett an Hüften, Po und Oberschenkeln) gesprochen. Untersuchungen haben gezeigt, dass „Apfeltypen" ein höheres Risiko für Herz-Kreislauf-Erkrankungen aufweisen als die sogenannten „Birnentypen". Wenn Sie also ein „Apfeltyp" sind, dann ist es für Sie umso wichtiger, abzunehmen.

Gewicht reduzieren und halten

Wichtig ist, reduziertes Gewicht auch dauerhaft zu halten. Idealmaße müssen Sie – zumindest aus gesundheitlichen Gründen – nicht erreichen: Es ist wichtiger, so abzunehmen, dass Sie Ihr erreichtes Körpergewicht dann auch über längere Zeit halten können. Also lieber weniger abnehmen, z. B. fünf bis zehn Prozent des derzeitigen Gewichts, und dabei bleiben, anstatt radikal für kurze Zeit das Gewicht zu reduzieren!

Eine Gewichtsabnahme ist nach heutigen Erkenntnissen am einfachsten, indem man die Fettzufuhr mit der Nahrung reduziert, den Alkoholkonsum einschränkt und insgesamt weniger Energie (über Nahrungsmittel) zuführt, als der Körper in der gleichen Zeit verbraucht (für Grundumsatz, körperliche Aktivität etc.). Auch körperliche Bewegung gehört dazu, wie im nächsten Abschnitt „Sport und körperliche Aktivität" (s. S. 94 ff.) beschrieben ist.

Unabhängig von einer Gewichtsabnahme sind diese Maßnahmen nun genau die, die Sie ohnehin bei erhöhten Blutfettwerten einleiten sollten – Sie müssen also gar nicht alle möglichen weiteren Aktivitäten ergreifen, sondern Ihre Lebensweise nur ein wenig mehr dem anpassen, was Ihre (mehr oder weniger) normalgewichtigen „Leidensgenossen" ohnehin tun: sich bewegen und sich gesund ernähren.

Bewegung und gesündere Ernährung sind ein guter Anfang.

Es gibt relativ komplizierte Formeln, mit denen man seinen genauen Kalorienbedarf zum Gewichtserhalt berechnen kann. Näherungsweise lässt sich sagen, dass bei leichter sitzender Tätigkeit jeden Tag pro Kilogramm Körpergewicht 32 Kilokalorien benötigt werden, im Alter werden es etwas weniger, Männer brauchen i. d. R. etwas mehr.

Andrea P. ist 45 Jahre alt und wiegt 65 Kilogramm. Sie arbeitet als Sekretärin und treibt keinen Sport. Ihr täglicher Kalorienbedarf liegt also bei etwa 2.080 Kalorien. Wenn sie abnehmen möchte, ist eine Diät aus einer Mischkost mit täglich etwa 1.500 Kalorien sinnvoll – dabei werden jeden Tag 580 Kalorien weniger zugeführt als verbraucht, die Differenz holt sich der Körper aus dem Abbau seiner Fettdepots. Ein Kilogramm Fett hat ca. 9.000 Kalorien, Andrea P. nimmt auf diese Weise also etwa 500 Gramm pro Woche ab. Das ist eine sinnvolle Menge, wenn der Erfolg länger bestehen bleiben und es nicht zur Unterversorgung mit wichtigen Nährstoffen kommen soll.

TIPP

MASS STATT MASSE

Die Devise muss lauten: Maß halten, anstatt immer zu verzichten. Planen Sie längerfristig, anstatt eine Crash-Diät nach der anderen zu versuchen. In letzterem Fall sind nach Ende der Diät die verlorengegangenen Pfunde und noch ein paar zusätzliche, die man durch die Freude über die sich dann häufig in zu großen Mengen genehmigten Belohnungen zunimmt, nämlich schnell wieder drauf (das ist der sogenannte Jo-Jo-Effekt).

Neue Ernährungs- und Bewegungsgewohnheiten

Diäten sind zeitlich begrenzt und wirken deshalb auch nur für eine gewisse Zeit, z. B. im Sommer, wenn Sie Ihre Bikinifigur halten möchten. Wenn Sie wollen, dass die Erfolge länger anhalten, müssen Sie stattdessen alte Gewohnheiten ändern, die über die Jahre die Fettpolster aufgebaut haben, und sich neue, gesündere Ernährungsgewohnheiten aneignen. Das ist zwar deutlich schwieriger, als sich sechs Tage lang nur von Ananas, Kartoffeln o. Ä. zu ernähren, aber langfristig deutlich wirksamer – und gesünder außerdem.

Neue Gewohnheiten sollen zur Normalität werden.

Bekommt der Körper mehr Energie als er verbraucht, steigt das Körpergewicht. Umgekehrt sinkt es, wenn der Gesamtenergie-verbrauch höher ist als die Zufuhr.

Dazu gehört, kleine Gewohnheiten langsam aber konsequent, Schritt für Schritt, zu ändern. Ein kleiner Schritt genügt vorerst. Der Weg, bis Sie neue Gewohnheiten nicht mehr als solche wahrnehmen, wird zwar etwas länger sein, dafür wird jedoch das Ziel erreicht – und das Sollgewicht bleibt bestehen. Die Ernährung soll nicht kurzzeitig umgestellt, sondern lebenslang verändert und zur Gewohnheit werden. Das klingt absolut unspektakulär, und Diäthungrige denken oft, das kann ja nichts werden. Dennoch: Es gibt sie nicht, die Wunder-Diät, bei der mit kurzzeitigem Abnehmen das Wunschgewicht auch dauerhaft gehalten wird.

Sieglinde M. ist 47 Jahre alt und kommt in die Spezialambulanz eines Universitätsklinikums, weil ihr Hausarzt bei einer Untersuchung erhöhte Blutfettwerte festgestellt hat. Seit etwa 15 Jahren leidet sie an Bluthochdruck. Der Vater der Patientin hatte mit 45 Jahren einen ersten Herzinfarkt und verstarb mit 55 Jahren an seinem zweiten. Die Mutter der Patientin hat mit 60 Jahren einen Schlaganfall erlitten.

Sieglinde M. erweist sich bei der körperlichen Untersuchung als deutlich übergewichtig (122 Kilogramm bei 1,79 Metern Körpergröße; der BMI liegt bei 38,1). Der Taillenumfang beträgt 133 Zentimeter. Der Blutdruck von Frau M. liegt während der Einnahme von zwei Medikamenten bei 140 zu 80 mm/Hg. Die Patientin ist Nichtraucherin. Die Blutuntersuchungen ergeben u. a. folgende Werte: Triglyzerid 253 Milliliter pro Deziliter, Gesamtcholesterin 257 Milliliter pro Deziliter, LDL-Cholesterin 157 Milliliter pro Deziliter, HDL-Cholesterin 33 Milliliter pro Deziliter, Lipoprotein(a) 119 Milliliter pro Deziliter. Der behandelnde Arzt entscheidet, dass eine medikamentöse, blutfettsenkende Therapie zunächst nicht angebracht ist. Ganz entscheidend ist hingegen, dass Frau M. an Gewicht verliert und infolgedessen sich vermutlich die Blutfettwerte ebenso wie der Blutdruck bessern werden. Sie erhält eine ausführliche Beratung, einen Diätplan und die Überweisung zu einer Ernährungsberaterin in der Nähe ihres Wohnorts, sodass sie entsprechende Fragen schnell klären kann.
Bei einem Kontrolltermin drei Monate später hat Sieglinde M. bereits acht Kilogramm abgenommen, ihre Blutfettwerte haben sich gebessert (Triglyzeride 200 Milliliter pro Deziliter, Gesamtcholesterin 220 Milliliter pro Deziliter, LDL-Cholesterin 141 Milliliter pro Deziliter, HDL-Cholesterin 39 Milliliter pro Deziliter), der Blutdruck liegt bei 130 zu 80 mm/Hg.

Hilfe aus der „grünen Küche"

Es gibt einige pflanzliche Medikamente, beispielsweise Knoblauch oder Artischocken, die traditionell gegen erhöhten Blutfettspiegel und zur Vorbeugung von Arteriosklerose eingesetzt werden. Auch Sojabohnen und indische Flohsamenschalen werden gegen erhöhte Cholesterinwerte und zur Vorbeugung von Arteriosklerose empfohlen.

- Artischocken können nach wissenschaftlichen Studien die Cholesterinkonzentration senken, ähnlich wie die Statine (s. S. 54 ff.). Mengenmäßig reicht diese Senkung allerdings bei Weitem nicht aus, selbst wenn Sie sich ausschließlich von Artischocken ernähren würden. Dennoch können Artischocken im Rahmen einer fettbewussten Ernährung eine sinnvolle Rolle spielen, da sie kalorienarm sind und außerdem wertvolle Ballaststoffe liefern. Ob Sie zu Artischockenpräparaten aus der Drogerie oder Apotheke greifen wollen, müssen Sie einfach einmal ausprobieren – ggf. sollte der Artischockenextrakt allerdings ausreichend hoch dosiert sein, ca. 300 Milligramm pro Kapsel sollten es sein.

TIPP

PROBIEREN SIE DIESE PRÄPARATE RUHIG!

Setzen Sie aber nicht zu hohe Erwartungen in die Wirkungen, und nehmen Sie die pflanzlichen auf keinen Fall lediglich als Ersatz für die anderen Medikamente ein.

- Knoblauch wird als ein weiterer natürlicher Cholesterinsenker gepriesen. Es gilt Ähnliches wie für die Artischocken: Sie müssen den Knoblauch ausreichend hoch dosieren, d. h. zwei große Zehen, und zwar roh gegessen, denn Erhitzen zerstört die cholesterinsenkenden Bestandteile. Wenn Sie aus nachvollziehbaren Gründen darauf lieber verzichten wollen, können Sie zu einem Knoblauchpräparat in Tablettenform greifen. 1.200 Milligramm Knoblauchpulver pro Tag sind hier zu empfehlen.

Sport und körperliche Aktivität

Fördern Sie Ihre allgemeine Fitness und setzen Sie sich realistische Ziele!

Das nächste Standbein hin zu einer gesünderen Lebensweise, die Ihren Blutfettwerten guttut, ist regelmäßige körperliche Aktivität. Das bedeutet, Sie müssen sich (mehr) bewegen, und das regelmäßig.

Bewegung bedeutet nicht die Aufnahme eines harten sportlichen Trainingsprogramms. Wichtiger ist die allgemeine körperliche Fitness – stecken Sie also Ihre persönlichen Fitnessziele nicht zu hoch und konzentrieren Sie sich nicht auf eine einzige Aktivität. Ihr Körper sollte durch das Training gleichmäßig beansprucht werden, der Schwerpunkt sollte auf einer gesteigerten Ausdauer liegen. Dazu kommt die Verbesserung von Beweglichkeit und Kraft. Auch Ihre psychische Verfassung wird durch die körperliche Aktivität positiv beeinflusst – Sie können Stress dann besser bewältigen und fühlen sich ausgeglichener, was wiederum gut für die Blutfette ist. Allerdings sind Ihre Bewegungsgewohnheiten nicht über Nacht entstanden, sondern über Jahre. Daher werden Sie diese Gewohnheiten auch nicht von heute auf morgen ablegen können. Lassen Sie sich Zeit und setzen Sie sich kleine, realistische Ziele. Haben Sie ein Ziel erreicht, versuchen Sie ruhig, noch einen Schritt weiterzukommen. So können Sie Ihren inneren Schweinehund Schritt für Schritt besiegen.

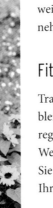

Fitness-Tipps

Trainieren Sie zwei- bis viermal pro Woche. Um fit zu bleiben und Trainingseffekte zu erzielen, ist es wichtiger, regelmäßig zu trainieren, als an einzelnen Tagen härter. Wenn Sie bisher überhaupt nicht trainiert haben, fangen Sie am besten damit an, ein bisschen mehr Bewegung in Ihren Alltag zu bringen:

- Gehen Sie zu Fuß zum Metzger oder zum Briefkasten oder fahren Sie mit dem Rad.
- Machen Sie öfter mal einen Umweg (zu Fuß).

- Fahren Sie nicht mit dem Aufzug, sondern benutzen Sie die Treppe. Und wenn Sie schon geübter sind: Nehmen Sie immer zwei Stufen auf einmal.
- Arbeiten Sie häufiger mal im Garten.

Ein paar Anhaltspunkte zum Kalorienverbrauch: 150 Kilokalorien verbrauchen Sie mit folgenden Tätigkeiten:

- 45 bis 60 Minuten Autowaschen
- 30 Minuten Radfahren
- 45 bis 60 Minuten Fenster putzen
- 45 bis 60 Minuten Staubsaugen
- 30 Minuten Laubrechen
- 30 bis 45 Minuten Gartenarbeit
- 15 Minuten Schneeschaufeln
- 35 Minuten Gehen
- 15 Minuten Treppensteigen

Sie sehen also: Ganz normale Alltagstätigkeiten verbrauchen eine Menge Kalorien – und vielleicht macht Ihnen mit diesem Hintergedanken ja auch der nächste Hausputz ein bisschen mehr Spaß. Und wenn Sie schon etwas trainierter sind, möchten Sie es vielleicht nicht bei dem Zu-Fuß-Gehen bewenden lassen, sondern auf andere Weise Sport treiben. Sie können dem Cholesterin davonlaufen, -schwimmen oder auch -radeln. Ausdauersportarten sind besonders geeignet, da sie Körperfett am besten abbauen. Es ist in Ordnung, wenn Sie Sportarten wie Rudern oder Ski-Langlauf vorziehen, sofern Sie damit Ihre Ausdauer trainieren. Sinnvoll sind Trainingszeiten von zunächst 20 Minuten am Stück, dabei reicht etwa drei- bis viermal die Woche völlig aus. Steigern Sie sich über 30 Minuten auf etwa 45 Minuten pro Trainingseinheit. Und vergessen Sie nicht, beim Sport auch Ihren Puls zu messen (den Belastungspuls): Er sollte bei 180 Herzschlägen pro Minute minus Lebensalter liegen. Wenn Sie beim Sport anhaltend außer Atem geraten, ist die Anstrengung zu hoch für Sie. Also lassen Sie es langsamer angehen – steigern können Sie sich dann immer noch.

TIPP

PULSUHR

Einfacher wird das Pulsmessen beim Sport übrigens mit speziellen Pulsuhren, die sofort ein Alarmsignal geben, sollte der Puls einmal zu hoch steigen. Sie erhalten sie in jedem guten Sportfachgeschäft – lassen Sie sich dort beraten.

Durch körperliche Aktivität sollte der Energieumsatz pro Woche um mindestens 1.000 Kilokalorien gesteigert werden.

Zusätzlich zu der Cholesterinsenkung werden beim Sport auch Herz und Kreislauf trainiert. Der Blutdruck sinkt, und das Herz wird so auch bei einer erhöhten Belastung leistungsfähiger. Darüber hinaus verbraucht die körperliche Aktivität natürlich auch Kalorien, Fettreserven werden abgebaut und in Energie umgewandelt. Wie im vorangegangenen Abschnitt zum Übergewicht (s. S. 89 ff.) gezeigt wurde, verlieren Sie so bei gleicher Ernährung täglich mehr an Gewicht, da Ihr Kalorienbedarf gesteigert ist. Wenn Sie Ihr Optimalgewicht schon erreicht haben, können Sie es leichter halten. Und schließlich wird auch die Vorbeugung oder Behandlung von Erkrankungen wie Diabetes mellitus und Osteoporose (Knochenschwund) günstig beeinflusst. Beim Lauftraining beispielsweise werden Glückshormone ausgeschüttet – Bewegung tut gut, Sport macht biologisch gesehen jünger; genießen Sie das Gefühl, etwas für sich und Ihren Körper zu tun!

Informieren Sie sich und bleiben Sie konsequent!

Bitte beachten Sie Folgendes: Bevor Sie ein Trainingsprogramm neu beginnen, sprechen Sie auf jeden Fall mit Ihrem Arzt! Er wird Ihnen möglicherweise bestimmte Sportarten empfehlen und von anderen abraten, denn er kennt Ihre gesamte Krankengeschichte.

INFO

KÖRPEREIGENES GLÜCK

Wenn Sie eine Ausdauersportart betreiben, werden dabei im Körper vermehrt Endorphine und Enkephaline freigesetzt. Diese körpereigenen „Glückshormone" sorgen nicht nur für ein allgemein verbessertes Wohlbefinden, sondern fördern auch die Produktion bestimmter weißer Blutzellen (T-Zellen) und regen so das Immunsystem an – Sie werden also widerstandsfähiger, beispielsweise gegen Erkältungen.

Das Beibehalten einer regelmäßigen sportlichen Aktivität wird übrigens erleichtert, wenn Sie immer zu bestimmten Terminen trainieren – tragen Sie diese in Ihren Terminkalender ein, denn sie sind genauso wichtig wie Ihre Konferenzen. Auch durch feste Verabredungen mit einem Trainingspartner hält man sich i. d. R. an die ausgemachten Termine. Ganz wichtig: Trinken Sie während des Trainings genügend.

Trinken Sie (je nach Trainingsintensität) regelmäßig einen Schluck. Mineralwasser oder Apfelsaftschorle (ein Drittel Apfelsaft, zwei Drittel Mineralwasser) sind optimal. Auf diese Weise wird auch ein möglicher Mineralstoffmangel ausgeglichen und man fühlt sich sofort erfrischt. Hobbysportler trinken am besten natriumarmes Wasser, Profis haben jedoch evtl. einen höheren Natriumbedarf. Spezielle isotonische Sportgetränke sind nicht notwendig. Trainieren Sie nicht mit vollem Magen, warten Sie damit bis mindestens zwei Stunden nach dem Essen. Wählen Sie eine Sportart, die Ihnen Spaß macht, denn wenn Sie nur aus Pflichtbewusstsein trainieren, halten Sie vermutlich nicht lange durch. Die folgende Tabelle 8 kann Ihnen vielleicht bei der Auswahl helfen.

TABELLE 8: SPORTARTEN UND KALORIENVERBRAUCH

Aktivität (Kilometer pro Stunde)	Verbrauch in Kalorien pro Minute	Belastungsdauer für die Verbrennung von 300 Kalorien
Laufen (9 Kilometer pro Stunde)	10	30 Minuten
Laufen (15 Kilometer pro Stunde)	13	23 Minuten
Bergsteigen	8	38 Minuten
Radfahren (10 Kilometer pro Stunde)	2,8	107 Minuten
Radfahren (20 Kilometer pro Stunde)	7,9	38 Minuten
Skilanglauf	23	13 Minuten
Schwimmen (Kraul)	14	22 Minuten
Schwimmen (Rücken)	6,9	44 Minuten
Fußball	24	13 Minuten
Tennis	8	38 Minuten
Tanzen	5,5	55 Minuten

Durch leichtes Krafttraining wird der Kalorienbedarf gesteigert.

Zusätzlich zum Ausdauertraining können Sie auch regelmäßig ein leichtes Krafttraining machen, bei dem Sie mit Hanteln oder Kraftgeräten im Fitnessstudio die Muskulatur kräftigen und aufbauen. Der Vorteil dabei: Muskeln müssen durchblutet und mit Sauerstoff versorgt werden und benötigen so mehr Energie als Fett. Ihr Kalorienbedarf wird also gesteigert – Sie nehmen entweder leichter ab oder können sich zwischendurch einen Extra-Snack gönnen. Außerdem ist Krafttraining besonders geeignet, Osteoporose vorzubeugen. Auch Pilates und die BBP-(Bauch-Beine-Po-) Kurse sind eine gute Variante. Die verschiedenen Sportstudios und auch die Volkshochschulen bieten Kurse dazu an.

CHECKLISTE

SO HABEN SIE SPASS AM SPORT

- Stürzen Sie sich nicht gleich in Ihren ersten Marathon – fangen Sie mit Alltagstätigkeiten an, die Sie kennen und bei denen Sie sich wohlfühlen. Ob das der Spaziergang mit dem Hund ist, ob Sie einmal um den Block radeln oder Unkraut jäten, ist egal.
- Machen Sie Ihre körperlichen Aktivitäten auf jeden Fall zu einem festen Bestandteil Ihres Alltags. Schreiben Sie sie, genau wie geschäftliche Besprechungen, in Ihren Terminkalender.
- Wärmen Sie sich vor jedem Training auf, starten Sie langsam und steigern Sie die Anstrengung dann allmählich. Und hören Sie genauso langsam auf, wie Sie angefangen haben – setzen Sie z. B. einige Dehnungsübungen ans Ende.
- Sie sollten sich während des Trainings mit Ihrem Partner theoretisch unterhalten können – wenn Ihnen jedoch die Luft wegbleibt, senken Sie besser die gewählte Trainingsintensität.
- Trainieren Sie nur so lange und so stark, dass Sie sich am Ende angenehm müde fühlen. Wenn Sie nach dem Sport eine Stunde flachliegen, war es zu anstrengend – so halten Sie auf die Dauer nicht durch.
- Tragen Sie geeignete Kleidung und Schuhe (richtige Laufschuhe, Wanderstiefel).
- Trinken Sie ausreichend – sowohl vor, während und nach dem Sport.
- Die letzte von Ihnen eingenommene Mahlzeit sollte nicht zu schwer sein und mindestens zwei Stunden zurückliegen.
- Besprechen Sie Ihr Trainingsprogramm am besten mit Ihrem Arzt und lassen Sie vorab einen Gesundheits-Check vornehmen.

Je mehr Muskeln Sie im Training einsetzen, desto mehr Energie verbrauchen Sie auch. Also entscheiden Sie sich, wenn Sie abnehmen und Ihre Blutfettwerte verbessern wollen, besser für Sportarten wie Nordic Walking oder Rudern als für Radfahren oder reines Walking.

Denn während beim Radfahren oder Walking überwiegend die Beinmuskeln beansprucht werden, kommt beim Rudern oder Nordic Walking der Einsatz von Oberkörper und Armen dazu. Auch Schwimmen zählt zu den Ganzkörpersportarten. Der Kalorienverbrauch wird hierbei allerdings dadurch reduziert, dass das Wasser das eigene Körpergewicht durch den Auftrieb reduziert. Trotzdem: Eine Stunde Schwimmen verbraucht deutlich mehr Kalorien als eine Stunde gemächliches Radfahren. Und Schwimmen bzw. Bewegung im Wasser (beispielsweise Aqua-Aerobic) ist besonders schonend für die Gelenke, falls diese Ihnen Probleme bereiten.

Gefährliche Genussmittel

Rauchen und regelmäßiger Alkoholgenuss gehören für viele Menschen zum guten Leben dazu. Wenn Sie an einer Fettstoffwechselstörung leiden, sollten Sie diesbezüglich jedoch auf alle Fälle umdenken.

TIPP

HABEN SIE PROBLEME MIT DER TECHNIK?

Ärgern Sie sich nicht, wenn Sie beim Schwimmen oder Nordic Walking anfangs mit der Technik kämpfen. Sie trainieren dann zwar weniger effizient als jemand, der die Ausführung perfekt beherrscht, verbrauchen aber in der gleichen Zeit mehr Energie. Was nicht heißen soll, dass Sie Ihre Technik nicht verbessern sollten – das ergibt sich normalerweise mit dem regelmäßigen Training.

Rauchen

Hier genügt eigentlich ein einziger Satz:
Geben Sie das Rauchen auf! Die Kombination aus Rauchen und erhöhten Blutfettwerten lässt das Risiko für einen Herzinfarkt um ein Vielfaches ansteigen. Im Gegenzug sinkt bereits nach kurzer Zeit als Nichtraucher Ihr Risiko für Herz-Kreislauf-Komplikationen drastisch, und auch Ihren Finanzen tut es gut, wenn Sie die Finger von den gefährlichen Glimmstängeln lassen.

VERZICHT AUF DEN BLAUEN DUNST

Lassen Sie sich durch einen Fehlschlag bei der Entwöhnung nicht entmutigen. Wenn es beim ersten Mal nicht klappt, versuchen Sie es wieder. Mit jedem Versuch steigt die Wahrscheinlichkeit, dass Sie es schaffen.

Nicht nur Herz-Kreislauf-Erkrankungen, auch Erkrankungen der Atmungsorgane und nicht zuletzt bösartiger Krebs werden durch das Zigarettenrauchen gefördert. Man hat ausgerechnet, dass das Rauchen einer einzigen Zigarette das Leben um ca. zehn bis 15 Minuten verkürzt. Bereits eine Zigarette pro Tag vermindert die Elastizität der Gefäße und führt zu Arteriosklerose und zur Herzkranzgefäßerkrankung – zusätzlich zu der Belastung, die erhöhte Blutfettwerte ohnehin schon darstellen. Auch die Durchblutung der anderen Organe des Körpers wird verringert. Nicht umsonst nennt der Volksmund die Durchblutungsstörungen in den Beinen „Raucherbein".

Studien haben gezeigt: Rauchen zu vermindern, ist schwieriger, als das Rauchen ganz aufzugeben.

Holen Sie sich Hilfe, wenn Sie mit dem Rauchen aufhören wollen. Nikotinpflaster oder Nikotinkaugummis können helfen, die anfänglichen Entzugserscheinungen leichter zu ertragen, sie sollten aber auch nur für begrenzte Zeit eingesetzt werden. Eine Verwendung sollte vorher jedoch mit dem Arzt abgeklärt werden.

Mit dem Rauchen aufzuhören, fällt allerdings fast allen Rauchern sehr schwer. Zögern Sie deshalb nicht, Profis um Hilfe zu bitten. Viele Ärzte, Krankenkassen und Volkshochschulen bieten Kurse zur Rauchentwöhnung an.

ÜBERTREIBEN SIE ES ABER NICHT!

Rotwein wird zwar aufgrund bestimmter Pflanzeninhaltsstoffe wie Flavonoiden eine herzschützende Wirkung nachgesagt, aber das gilt nicht bei übermäßigem Konsum. Als gesundheitlich verträglich wird heute für Männer ein Alkoholkonsum von maximal 20 Gramm pro Tag angegeben, für Frauen maximal die Hälfte. 20 Gramm Alkohol entsprechen etwa einem halben Liter Bier oder einem Glas Wein.

Alkohol

Alkohol, insbesondere Rotwein, wird nachgesagt, dass er die Blutfettwerte positiv beeinflussen kann, speziell über eine Erhöhung der HDL-Cholesterinkonzentration. Mäßiger Alkoholkonsum kann also erlaubt sein, wenn er nicht Ursache der Fettstoffwechselstörung ist oder sie unterstützt. Das ist beispielsweise bei einer Erhöhung der Triglyzeride der Fall: Alkohol fördert die Triglyzeridbildung in der Leber.

Bei erhöhter Triglyzeridkonzentration im Blut sollten Sie daher auf Alkohol verzichten. Außerdem enthält Alkohol fast so viele Kalorien wie Fett (nämlich sieben Kalorien pro Gramm) und fördert somit auch Übergewicht.

Entspannen Sie!

Jeder kennt Stress, jeder hat heutzutage schon mal welchen. Keinen zu haben, gilt schon beinahe als Zeichen für Faulheit. Aber was ist Stress eigentlich?

An sich ist Stress zunächst einmal weder gut noch schlecht, sondern einfach eine Reaktion des Körpers auf Umwelteinflüsse. Es gibt positiven Stress, wie beispielsweise die Anspannung vor neuen Aufgaben und Herausforderungen. Negativer Stress entsteht durch Krankheiten, ständigen Ärger, seelische Belastungen oder beispielsweise Gefühle des Versagens. Die typischen Symptome von negativem Stress sind Herzklopfen, Herzrasen, Schweißausbrüche, Kopfschmerzen und Schlaflosigkeit.

Insgesamt ist unverarbeiteter Stress, der als Belastung – d. h. als negativ – empfunden wird, ein Risikofaktor für das Herz-Kreislauf-System: Er trägt zu erhöhten Blutfettwerten bei. Außerdem gibt es Hinweise darauf, dass die Psyche – und hier speziell unverarbeiteter Stress – die Cholesterinkonzentrationen im Blut ansteigen lässt. In einer wissenschaftlichen Studie haben Experten eine Gruppe von Versuchsteilnehmern im Beruf unter Zeitdruck gesetzt. Daneben wurde eine Kontrollgruppe gebildet, die sich vergleichbar ernährte und auch vom Alter und sonstigen Risikofaktoren her so zusammengesetzt war wie die erste Gruppe. Das Ergebnis der Untersuchung war, dass die Menschen, die über mehrere Wochen unter Zeitdruck arbeiten mussten, im Verlauf einiger Wochen tatsächlich höhere Cholesterinkonzentrationen im Blut aufwiesen als die Kontrollgruppe, die während der Studie normal weitergearbeitet hatte.

Unverarbeiteter Stress schlägt auf die Psyche und lässt den Cholesterinspiegel im Blut steigen.

Was tun gegen negativen Stress?

Ein anderes Experiment hat gezeigt, was sich dagegen tun lässt. Menschen, die alle wegen einer erhöhten Cholesterinkonzentration im Blut eine Spezialambulanz einer Universitätsklinik aufgesucht hatten, wurden in

zwei Gruppen eingeteilt: Die eine Gruppe führte ihr tägliches Leben zunächst unverändert weiter (eine medikamentöse Senkung des Cholesterins war bei allen Versuchsteilnehmern nicht dringend notwendig). Die zweite Gruppe führte täglich eine Reihe von Yoga-Übungen durch. Nach vier Wochen war in dieser Gruppe die Cholesterinkonzentration um durchschnittlich zehn Prozent gesunken, während sie in der Kontrollgruppe ohne Yoga gleich geblieben war. Diese Untersuchung ist eines von vielen Beispielen, die zeigen, dass sich Entspannung und Regeneration nicht nur positiv auf das persönliche Stressempfinden, sondern auch auf den Cholesterinspiegel auswirken können.

Deshalb sollten Sie lernen, wie Sie mit Ihrem Stress umgehen oder negativen Stress ganz vermeiden. Es gibt heutzutage viele Methoden dafür, sei es ein Spaziergang mit dem Hund, ab und zu Klavier zu spielen, ein Bild zu malen oder ein entspannendes Schaumbad zu nehmen. Außerdem können Sie „professionelle" Anti-Stress-Programme wie autogenes Training, Yoga, progressive Muskelentspannung u. a. nutzen. Was sich für Sie am besten eignet, können Sie herausfinden, indem Sie einfach ein bisschen herumprobieren und die verschiedenen Methoden kennenlernen, beispielsweise in einem Volkshochschulkurs. Auch Fitnessstudios bieten häufig Einführungen an.

Probieren Sie ein Anti-Stress-Programm aus – es kann nur von Nutzen sein!

Zum autogenen Training noch einige Hintergrundinformationen: Es wurde als Entspannungsmethode in den 20er Jahren des 20. Jahrhunderts von dem Arzt Johannes Schulz entwickelt. Schulz hatte beobachtet, dass sich Menschen in Hypnose in einem Zustand tiefer Ruhe befinden. Wenn er sie nach Ende der hypnotischen Sitzung befragte, gaben diese Menschen fast immer die gleiche körperliche Empfindung an: Sie hatten ein Schweregefühl in den Gliedern.

Häufig gaben sie auch ein Wärmegefühl im ganzen Körper an. Außerdem beobachtete Schulz während der Hypnose bei den Probanden eine ruhige, fließende Atmung, ruhigen Herzschlag und eine besonders kühle Stirn. Durch das autogene Training gelingt es den Menschen, sich diese Entspannungsgefühle zu vergegenwärtigen und sie bewusst zu spüren – ohne die Notwendigkeit einer Hypnose. Sie erreichen auf diese Art eine körperlich-seelische Befreiung, die sonst nur im hypnotischen Zustand möglich ist.

Entspannte Menschen leben gesünder.

Da die Übungen des autogenen Trainings, wenn man sie erst einmal erlernt hat (am besten lassen Sie sie sich vom Profi, beispielsweise in einem speziellen Kurs, zeigen), sehr gut allein durchgeführt werden können, hier einige gut geeignete Übungen zur inneren Ruhe:

Autogenes Training – kurz gefasst

- Schwereübung: Als erste Übung lernen Sie, eine Muskelentspannung der Arme und Beine herbeizuführen. Sie benutzen dabei in Gedanken die Formel „meine Arme (Beine) werden schwer".
- Wärmeübung: Wenn Sie gelernt haben, durch die erste Übung die Muskeln zu entspannen, lernen Sie, auf gleiche Art und Weise Wärme in den Armen und Beinen zu empfinden. Die Wärmeübung läuft genauso ab wie die Schwereübung, mit dem Unterschied, dass Sie sich Wärme an und in den Gliedmaßen vorstellen. Diese beiden ersten Übungen sind das Kernstück des autogenen Trainings. Sie vermitteln ein hohes Maß an Entspannung und Beruhigung, wie Sie selbst deutlich spüren werden, wenn Sie sie erlernt haben.
- Herzübung: Sie lernen, Ihre Herztätigkeit zu empfinden, sie bewusst zu verlangsamen und sich zu beruhigen.
- Atemübung: Überlassen Sie sich dem eigenen Atemstrom, anstatt bewusst und gewollt zu atmen. Sie werden sehen: Auf diese Weise werden Sie ruhiger und entspannter.
- Sonnengeflechtsübung: Die Durchblutung der inneren Organe Magen, Darm, Leber und Nieren wird von einem Nervengeflecht geregelt, das sich im oberen Bauchraum befindet: dem sogenannten Sonnengeflecht. Bei dieser Übung lernen Sie, das Sonnengeflecht gedanklich so zu beeinflussen, dass das Gefühl strömender Wärme im Oberbauch entsteht.
- Stirnkühle: Sie lernen, die Stirn innerlich abzukühlen und dadurch auch den Kopf in die Entspannung mit einzubeziehen.

Ein wohlig-warmes Gefühl durchströmt Sie.

Zu niedrige Cholesterinwerte – gibt es das?

Da Cholesterin für den Organismus eine lebensnotwendige Substanz ist, kann man sich die Frage stellen, ob denn so etwas wie eine zu niedrige Cholesterinkonzentration im Blut möglich ist.

Echter Cholesterinmangel ist selten

Die Versorgung mit dem lebensnotwendigen Cholesterin wird zunächst einmal durch die Bildung im Körper selbst gesichert (v. a. in der Leber). Dadurch wird der Bedarf des Organismus i. d. R. gedeckt. Bei einigen schweren Erkrankungen ist die Gesamtcholesterinkonzentration im Blut vermindert (Hypocholesterinämie). Dazu gehören manche Vergiftungen (z. B. Knollenblätterpilz), Schilddrüsenüberfunktion oder schwere Infektionskrankheiten mit Blutvergiftung (Sepsis). Insgesamt aber haben niedrige Gesamtcholesterinspiegel nur eine geringe Bedeutung.

Mangel an HDL-Cholesterin kommt häufiger vor

Mit dem HDL-Cholesterin liegt die Sache anders – dieser Wert kann sehr wohl zu niedrig liegen. Eine zu geringe HDL-Cholesterinkonzentration gilt als Risikofaktor für das Auftreten von Herz-Kreislauf-Erkrankungen, v. a. für die koronare Herzkrankheit (KHK). Dies gilt im Übrigen unabhängig davon, ob die Gesamtcholesterinkonzentration im normalen Bereich liegt. Hohe Werte von HDL-Cholesterin können nach den Ergebnissen verschiedener Studien vor koronarer Herzkrankheit und Herzinfarkt schützen. Und nur fünf Prozent aller Menschen haben zu wenig HDL-Cholesterin, aber 50 Prozent aller Herzinfarktpatienten. Auch das spricht für eine Schutzwirkung dieses Cholesterins. Zu geringe Werte dieses Cholesterintyps sind oft auf die gleichen Lebensgewohnheiten zurückzuführen wie erhöhte Gesamtcholesterinkonzentrationen: falsche Ernährung, Bewegungsmangel, Zigarettenrauchen. Wenn Sie also diese Faktoren ändern, steigt der Wert entsprechend. Stellen Sie also am besten Ihre Ernährung etwas um, treiben Sie Sport und hören Sie unbedingt auf zu rauchen.

Was tun gegen Stress im Alltag

- Vor allen Dingen: Sagen und denken Sie nie: „Ich bin im Stress." Wer viel zu tun hat, neigt zu derartigen Sätzen. Das führt allerdings v. a. dazu, dass Ihr Gehirn folgert, „Aha, jetzt ist wieder Stress" und es zur Bildung von Stresshormonen kommt. Besser ist eine Aussage wie : „Ich bin beschäftigt." Das ist neutraler und lässt die Adrenalinkonzentration im Normbereich. Das Wort „müssen" hat ähnliche Auswirkungen: Aussagen wie „Ich muss dieses tun und jenes erledigen" erzeugen inneren Druck. Besser sind Denkansätze wie „Ich möchte oder ich werde …".

- Planen Sie jeden Tag eine Aktivität nur für sich selbst ein, 30 Minuten reichen schon. Gehen Sie in ein nettes Café, auch wenn Sie die Tasse Kaffee natürlich selbst zu Hause kochen könnten. Gehen Sie ins Grüne, in eine Buchhandlung, wenn Sie gern lesen, oder in eine Ausstellung, wenn Sie sich für Kunst und Kultur interessieren. Oder machen Sie einfach eine der Entspannungsübungen, die Sie im Kurs für autogenes Training oder Yoga gelernt haben (s. S. 102 f.). Sie werden sehen, wie Sie längerfristig wesentlich entspannter werden.

- Vergessen Sie Multitasking – Sie müssen nicht drei Dinge gleichzeitig erledigen. Das qualifiziert zu gar nichts außer vielleicht für einen Nervenzusammenbruch. Sie telefonieren und bügeln dabei? Sie lesen beim Essen? Tun Sie immer nur eine Sache auf einmal, aber konzentrieren Sie sich darauf. So kommen mehr Gelassenheit und Ruhe automatisch.

- Beschränken Sie Ihre Kontakte auf die Menschen, mit denen Sie sich wohlfühlen und die auch Interesse an Ihnen zeigen. Werden Sie egoistisch und streichen Sie „Pflichtbesuche" aus Ihrem Programm.

- Gewöhnen Sie sich Perfektionismus ab: Denken Sie an das 80 / 20-Prinzip: 80 Prozent der anstehenden Aufgaben erledigen wir normalerweise in nur einem Fünftel der zur Verfügung stehenden Zeit. Umgekehrt heißt das, dass man viel Zeit für Dinge aufwendet, die nichts oder nur wenig bringen. Sie basteln beispielsweise vor dessen Abgabe ewig an dem letzten Artikel ?

 TIPP

NEIN SAGEN

Sie müssen anderen keinen Gefallen tun, wenn Sie dafür eigentlich keine Zeit oder Lust haben. Es ist durchaus in Ordnung, auch einmal nein zu sagen.

- Sie putzen die Fenster, nur weil vier Wochen vergangen sind und Sie dann eigentlich immer die Fenster putzen egal ob es nötig ist oder nicht? Bevor Sie sich in etwas verbeißen: Halten Sie kurz inne, holen Sie tief Luft, denken Sie nach und fragen sich dann, ob Aufwand und Ergebnis der Tätigkeit in einem vernünftigen Verhältnis zueinander stehen.

- Geht gerade alles schief? Das Telefon ist wieder einmal im Dauerklingelzustand, der Vermieter will genau jetzt die Reparaturen in der Wohnung durchführen, die eigentlich schon lange anstehen, aber jetzt überhaupt nicht in Ihren Zeitplan passen?

Lachen Sie den Stress einfach weg – es geht!

- Konzentrieren Sie sich auf die positiven Erlebnisse Ihres Tages oder Ihrer Woche. Nehmen Sie auch Ihre eigenen Fehler mit Humor – Lachen vermindert die Stresshormone im Blut.

- Wie machen es die anderen? Finden Sie heraus, wie manche Menschen trotz eines vollen Programms alles locker im Griff zu haben scheinen. Sicher finden Sie das Ein oder Andere darunter, dass auch Sie in Ihren Alltag einbauen können.

- Versuchen Sie nicht, sich alles zu merken – schreiben Sie Wichtiges auf. Setzen Sie sich jeden Abend oder am Sonntag hin und stellen Sie eine Liste der Dinge zusammen, die Sie am nächsten Tag oder die nächste Woche über erledigen wollen. Machen Sie aus großen Aufgaben kleine Häppchen und haken Sie auf Ihrer Liste dann ab, was Sie erledigt haben. So sehen Sie sofort, was Sie alles geschafft haben – auch wenn Sie gar nicht das Gefühl haben, viel erledigt zu haben.

■ Suchen Sie sich neue Kontakte: Menschen, die wie Sie auch weniger Stress in ihrem Leben haben wollen. Gemeinsam ist das leichter. Machen Sie folgenden Test und ziehen Sie Konsequenzen.

▌TEST

SIND SIE GESTRESST?

■ Gibt es häufig Streit in Ihrer Familie oder in Ihrer Partnerschaft?

■ Haben Sie oft Einschlafschwierigkeiten oder sind schlaflos?

■ Fühlen Sie sich nervlich angespannt oder stehen häufig unter Zeitdruck?

■ Fühlen Sie sich im Beruf oft überfordert?

■ Wünschen Sie sich, Sie hätten mehr Hobbys, bei denen Sie nach der Arbeit entspannen können?

■ Trinken Sie regelmäßig zwei Gläser Bier oder Wein, um abends nach dem Arbeitstag so richtig abzuschalten?

■ Bewegen Sie sich regelmäßig an der frischen Luft?

■ Verzichten Sie öfter aufs Essen, weil noch so viel zu tun ist?

■ Ist es Ihr dringender Wunsch, mehr Zeit für sich selbst zu haben?

■ Denken Sie häufig zu Hause über berufliche Schwierigkeiten nach?

Lösung:
Je mehr Fragen Sie mit Ja beantworten, desto höher ist Ihr Stresspegel. Überlegen Sie, ob Sie nicht häufiger mal an sich selbst denken sollten. Das tut nicht nur Ihnen und Ihrer Gesundheit gut, sondern es wirkt sich auch auf Ihr Verhalten in Beruf und Partnerschaft aus, wenn Sie entspannter sind.

Und wenn das alles nichts nützt?

Sie haben auf den letzten Seiten einige Hinweise bekommen, wie Sie mit Ihrem Stress umgehen können. Es gibt aber durchaus Situationen (beispielsweise familiäre oder berufliche), die auch mit allen Do-it-yourself-Maßnahmen nicht überwindbar sind. Bevor Sie jedoch immer tiefer in einen Teufelkreis geraten, indem Sie zunächst verschiedene Entspannungsverfahren ausprobieren, merken, dass sie Ihnen nichts nützen und sich dann Ihren Freunden anvertrauen, die aber auch keinen guten Rat für Sie wissen oder bevor Sie jedes Mal die Erfahrung machen, dass sich durch diese vergeblichen Versuche der Stresspegel immer mehr erhöht, nehmen Sie mit ruhigem Gewissen professionellen Rat – bei einem Psychologen oder Psychotherapeuten – in Anspruch.

**Guten Rat
in Anspruch zu
nehmen,
bedeutet nicht,
schwach zu sein.**

Solche Hilfe in Anspruch zu nehmen, ist kein Zeichen von Schwäche – im Gegenteil: Wenn Sie eine Situation nicht ändern, ihr aber auch nicht entkommen können, müssen Sie Ihre Einstellung dazu ändern. Und das funktioniert oft nur mit der Hilfe von Profis. Das zu erkennen und sich dem zu stellen, ist ein Zeichen innerer Stärke.

Sie tragen Verantwortung für sich selbst

Machen Sie sich klar, dass Sie selbst und niemand sonst für Ihren Körper, für Ihr Wohlbefinden und Ihre Gesundheit verantwortlich sind! Das Leben wird nicht länger, nur weil man bewusst Gefahrenquellen ausblendet und mögliche Risiken, wie beispielsweise einen erhöhten Cholesterinspiegel, ignoriert. Bewegen Sie sich genügend und fragen Sie Ihren Arzt, welche Behandlungsmöglichkeiten er empfiehlt und achten Sie bewusst auf Ihre Ernährung. Wenn Sie aktiv vorbeugen, können Sie auch gesund genießen.

Das Wichtigste auf einen Blick

Wie ernähre ich mich mit erhöhten Blutfettwerten am besten?

Am besten geeignet ist eine ausgewogene Mischkost mit reichlich Obst, Gemüse und Ballaststoffen übrigens nicht nur bei erhöhten Blutfettwerten, sondern grundsätzlich für ein gesundes und langes Leben. Das bedeutet nicht, dass Sie nicht zwischendurch einmal eine Currywurst mit Pommes essen dürfen – das sollte nur nicht gemeinsam mit anderem Fast Food regelmäßig Ihren Speiseplan bestimmen.

Mit der Mischkost können Sie übrigens auch gesund, erfolgreich und anhaltend an Gewicht verlieren, wenn Ihre Kalorienzufuhr unter Ihrem Bedarf liegt. Es kann sinnvoll sein, für Ihre Ernährungsumstellung eine Ernährungsberatung in Anspruch zu nehmen, bei der mit Ihnen gemeinsam ein Speiseplan erstellt wird, der auf Ihre persönlichen Bedürfnisse (z. B. Berufstätigkeit, Kantinenessen, Schichtarbeit) abgestimmt ist.

Warum sollte ich auf Kochsalz in der Nahrung achten?

Zu viel Salz (mehr als etwa fünf bis sechs Gramm pro Tag) kann den Blutdruck erhöhen, was gleichzeitig einen weiteren Risikofaktor für Herz-Kreislauf-Erkrankungen darstellt. Achten Sie deshalb auf verstecktes Salz: Dieses findet sich z. B. in bestimmten Fleisch- und Wurstwaren (insbesondere in Dauerwurst wie Salami oder in Schinken), in Fertiggerichten, Sauerkraut, vielen Gewürzen zum Streuen und Konserven.

Wie kann ich beim Kochen Fett sparen?

Reduzieren Sie das Streichfett wie Margarine bzw. Butter. Streichen Sie nur eine dünne Schicht auf oder verwenden Sie Senf, Tomatenmark oder Sauerrahm. Bei fetteren Wurst- bzw. Käsesorten mit einem Fettanteil von über 30 Prozent in der Trockenmasse verzichten Sie auf das Streichfett. Wählen Sie fettarme Wurst- oder Käsesorten und pflanzliche Brotaufstriche. Möchten Sie auf Ihren süßen Brotaufstrich nicht verzichten? – Essen Sie statt Nussnugatcreme besser ein wenig Marmelade oder Honig auf dem Brot. Trinken Sie mehr fettarme Milchprodukte und greifen Sie beim abendlichen Knabbern eher bei Popcorn oder gerösteten Erdnüssen zu als bei Kartoffelchips.

Welche Sportarten sind für mich geeignet?

Eigentlich gibt es keine ungeeigneten Sportarten für Betroffene mit erhöhtem Cholesterinspiegel oder für Risikopatienten, aber am ehesten hilft bei erhöhten Blutfettwerten ein Ausdauertraining, das die Fettverbrennung ankurbelt. Und am besten wählen Sie eines, das den ganzen Körper beansprucht. Besonders geeignet sind hierfür Sportarten wie Nordic Walking, Schwimmen oder Rudern. Ein zusätzliches Krafttraining kann aber nicht schaden, da es Muskeln aufbaut, die zusätzliche Energie verbrauchen, und damit die Blutfettwerte ebenfalls senkt. Und wenn Sie noch nie regelmäßig Sport getrieben haben: Sprechen Sie vor Trainingsbeginn mit Ihrem Arzt und lassen Sie sich durchchecken und beraten, was Sie ohne Probleme machen können.

Muss ich wirklich aufhören zu rauchen?

Ja. Ohne Wenn und Aber.

Darf ich Alkohol trinken?

Alkohol dürfen Sie in Maßen zu sich nehmen, wenn Ihre Triglyzeridwerte normal sind. In Maßen heißt konkret: Knapp ein Achtel Liter Wein täglich für Frauen, knapp zwei Achtel Liter für Männer sind erlaubt. Denken Sie aber stets daran, dass Alkohol insgesamt mehr Krankheiten verursacht als heilt. Wenn Sie also den Rotwein nur trinken, weil Sie meinen, Sie müssten Ihrem Cholesterin etwas Gutes tun, lassen Sie es und machen Sie stattdessen beispielsweise einen Abendspaziergang!

Was kann ich gegen die tägliche Anspannung tun?

Sie können verschiedene professionelle Entspannungsmethoden erlernen, beispielsweise autogenes Training, Yoga oder progressive Muskelentspannung. Sie sollten zuvor Ihren Alltag daraufhin überprüfen, ob all der Stress, den Sie haben, wirklich notwendig ist oder vielleicht aus eigenem (Fehl-)Verhalten resultiert. Entschleunigen Sie sich, legen Sie regelmäßig Pausen ein, gehen Sie einem Hobby nach – am besten mit Gleichgesinnten.

Serviceteil

Ein Glossar, hilfreiche Adressen und verlässliche Ansprechpartner bei erhöhtem Cholesterinspiegel finden Sie auf den folgenden Seiten.

Glossar

aerob

Unter Vorhandensein von Sauerstoff, Gegenteil anaerob = ohne Sauerstoff stattfindend.

Angina pectoris (A. p.)

Wörtlich „Brustenge": Symptomenkomplex mit meist anfallsweise auftretendem Schmerz in der Herzgegend hinter dem Brustbein (retrosternal) und Ausstrahlung in den linken Arm, den Kiefer oder die Oberbauchgegend. Ursache ist eine Verengung der Herzkranzgefäße (Koronararterien), die das Herz folglich nicht mehr ausreichend mit Blut, d. h., auch nicht mit Sauerstoff und Nährstoffen, versorgen können. Die Schmerzen werden als dumpf, drückend, krampfartig oder bohrend beschrieben. Zunächst tritt die A. p. nur bei Belastung auf (bei erhöhtem Sauerstoffbedarf des Herzens), bei stärkerer Koronarverengung auch in Ruhezuständen. Kann Vorbote eines → Herzinfarkts sein.

Angiografie

Darstellung von Blutgefäßen im Röntgenbild durch Injektion eines Kontrastmittels in das darzustellende Gefäß. Die entstehenden Bilder bezeichnet man als Angiogramme.

Anionenaustauscher

Gruppe von Medikamenten, die bei Fettstoffwechselstörungen eingesetzt wird. Sie binden im Darm die Gallensäuren, die aus Cholesterin gebildet werden, und sorgen so dafür, dass diese nicht wieder in den Körper aufgenommen werden können. Häufig in Kombination mit → Statinen verwendet.

Antioxidantien

A. sind Substanzen, die natürlicherweise im Organismus und in der Nahrung vorkommen. Sie werden in Lebensmitteln, beispielsweise in Form von Nahrungsergänzungsmitteln, oder in der Pharmaindustrie eingesetzt, um Reaktionen mit Sauerstoff oder anderen Chemikalien zu verhindern und um → freie Radikale abzufangen (sog. Radikalfänger). Sie sind in der Nahrung z. B. in Knoblauch, Blaubeeren, Ingwer, Kaffee, Zwiebeln, Zitrusfrüchten, Tomaten oder Gurken enthalten.

Apolipoprotein

Proteinanteil der → Lipoproteine. Die A. bilden zusammen mit → Phospholipiden die wasserlösliche Oberfläche der Lipoproteine.

Arterien

Schlagadern; die vom Herzen wegführenden Blutgefäße, die sich immer feiner verzweigen und schließlich als Kapillaren (Haargefäße) die Körperorgane mit Nährstoffen und Sauerstoff versorgen.

Arteriosklerose

„Gefäßverkalkung": chronisch fortschreitende Zerstörung der Gefäßwand mit Wandverhärtungen, Elastizitätsverlust der Gefäße und Verengung der Gefäßlichtung durch Einlagerung von Fettsubstanzen (Cholesterin, Fettsäuren, später Kalk) in die Gefäßwände. Ursachen liegen in der Lebensweise (z. B. fettreicher Ernährung, Giftstoffen wie Nikotin), Bluthochdruck, Zuckerkrankheit u. a. Die entstehenden Gefäßeinengungen bis -verschlüsse führen zu vielfältigen, organspezifischen Symptomen, z. B. geistige Leistungsschwäche, → Herzinfarkt, Organzerstörung (z. B. Schrumpfniere), mangelnder Durchblutung der Beine („Raucherbein", „Schaufensterkrankheit").

Ballaststoffe

B. sind meist unverdauliche Bestandteile der Nahrung, häufig → Kohlenhydrate. Sie kommen vorwiegend in pflanzlichen Lebensmitteln, beispielsweise in Getreide, Obst und Gemüse vor. Da eine Zerlegung durch Enzyme aufgrund ihrer Struktur nicht erfolgen kann, werden sie zum Großteil im Dickdarm von den dort angesiedelten Darmbakterien in kurzkettige (im Gegensatz zu den normalen, langkettigen) → Fettsäuren umgewandelt. B. können sehr viel Wasser binden und mit der Flüssigkeit Gallensäure. Da diese Gallensäuren dann ausgeschieden werden und dem Körper somit nicht mehr zur Verfügung stehen, muss der Gallensäurepool aufgefüllt werden. Dies geschieht in der Leber, die zur Neusynthese der Gallensäuren Cholesterin benötigt, das dem Kreislauf entzogen wird, der Cholesterinspiegel im Blut sinkt also. Das macht sich positiv bemerkbar, insbesondere z. B. im Hinblick auf ein verringertes Risiko für Herzkrankheiten oder Arteriosklerose.

Blutgefäße

Röhrenartige Gefäße, auch Adern genannt, im menschlichen und auch im tierischen Körper, die zum Transport von Blut dienen. Die Gesamtheit der B. bildet den Blutkreislauf. Die Einteilung erfolgt in Aorta (Hauptschlagader), verschiedene Arterien (Schlagadern) und Arteriolen (kleine Schlagadern) und

Kapillaren (Haargefäße), die sauerstoff- und nährstoffreiches Blut zu den Organen transportieren. Über Venolen (kleine Venen), Venen (Blutadern) und obere bzw. untere Hohlvenen wird das nährstoffarme, mit Kohlendioxid und Abfallprodukten des Stoffwechsels angereicherte Blut dann zuerst in die Lunge und dann zum Herzen zurück transportiert. Die Wände der Blutgefäße bestehen aus drei verschiedenen Schichten: der inneren (Intima), der mittleren (Media) und der äußeren Schicht (Adventitia).

Body Mass Index (BMI)
Der B. trifft eine Aussage über die Körpermasse. Er berechnet sich aus Körpergewicht (in Kilogramm), geteilt durch die Größe (in Zentimetern) zum Quadrat. Die festgelegten Normalwerte liegen zwischen 18,5 und 25.

Cholesterin
Fettstoff, der im gesamten menschlichen Körper vorkommt. C. ist von Bedeutung für die Bildung der Gallenflüssigkeit, vieler Hormone (z. B. der Östrogene, also der weiblichen Sexualhormone) und für die Abdichtung der Zelle nach außen (Zellmembran). Es wird entweder mit der Nahrung aufgenommen oder kann bei Bedarf vom Körper selbst hergestellt werden. C. ist krankhaft vermehrt in verfetteten Organen, den Gefäßwänden bei → Arteriosklerose und Gallensteinen. Mit zunehmendem Alter steigt die Gesamtcholesterinkonzentration im Blut an.

Cholesterinsynthese
(spätlat. Synthesis, aus dem Griechischen für Zusammensetzung). Die Synthese des Cholesterinmoleküls findet über viele verschiedene Zwischenstufen statt. Die Cholesterinbiosynthese findet v. a. in der Leber statt, aber Cholesterin kann i. d. R. von allen Zellen synthetisiert werden. Es wird speziell in der Leber wieder ab- und zu Gallensäuren umgebaut; in dieser Form wird es dann über den Darm wieder ausgeschieden. Ein besonders wichtiges Enzym der C. ist die → HMG-CoA-Reduktase, die wiederum durch → Statine gehemmt werden kann.

Cholesterinwert
Gibt die Konzentration von Gesamtcholesterin, → LDL-Cholesterin und → HDL-Cholesterin im Blut an. Da eine Senkung des erhöhten Cholesterinspiegels im Blut das Risiko für Herz-Kreislauf-Erkrankungen deutlich verringert, wurden optimale Werte für den Cholesterinspiegel im Blut festgelegt: Dieser beträgt bei Menschen ohne Herzinfarktrisiko für Gesamtcholesterin unter 200 Milligramm pro Deziliter Blut, bei LDL-Cholesterin unter 100 Milligramm pro Deziliter und bei HDL-Cholesterin mindestens 40 Milligramm pro Deziliter. Das Verhältnis von HDL- zu LDL-Cholesterin im Blut sollte im Idealfall unter drei liegen.

Cholesterol
Anderer Ausdruck für → Cholesterin

Chylomikronen
Lipoproteine mit einer äußerst geringen Dichte, die vom Dünndarm in die Blutbahn abgegeben werden. Die von ihnen transportierten Fette sind v. a. Neutralfette, zu einem geringen Teil Cholesterin. Die Chylomikronen transportieren die im Darm aufgenommenen Nahrungsfette zur Leber.

C-reaktives Protein (CRP)
Das CRP ist ein unspezifischer Marker für Entzündungsreaktionen, die sich im Körper abspielen. Bei Gesunden ist die CRP-Konzentration im Serum gering, sie kann aber bei aktiven entzündlichen Prozessen drastisch ansteigen. Da entzündliche Prozesse auch eine entscheidende Rolle bei der → Arteriosklerose spielen, kann CRP quasi als „Markerstoff" der Entzündung betrachtet werden, die der Arteriosklerose zugrunde liegt. Da hier aber die CRP-Konzentrationen deutlich unter denen reiner Entzündungen liegen, wurde für die CRP-Bestimmung bei Arteriosklerose ein neuer Test entwickelt, der das „hochsensitive" CRP bestimmt (wobei eigentlich der Test hoch sensitiv ist, nicht das CRP – die Bezeichnung hat sich allerdings so eingebürgert).

CRP
→ C-reaktives Protein

CSE-Hemmer
Anderer Begriff für → Statine: CSE steht für Cholesterin-Synthese-Enzym.

Diabetes mellitus
Chronisch erhöhte Blutzuckerkonzentration mit daraus folgender Störung weiterer Stoffwechselprozesse und Organschäden. Nach der Ursache ihrer Entstehung unterscheidet man den Diabetes Typ 1 (fehlende oder verminderte Insulinsekretion) vom Diabetes Typ 2 (relativer Insulinmangel). Der Typ 1 tritt meist bei Jugendlichen unter 20 Jahren auf und wird heute als Autoimmunerkrankung betrachtet.

Es kommt zur Zerstörung der insulinproduzierenden Zellen durch selbst produzierte Antikörper. Der Typ 2 beginnt meist erst im höheren Alter. Hier spricht der Körper nicht mehr (ausreichend) auf das gebildete Insulin an, es besteht eine sogenannte Insulinresistenz. Folgen sind v. a. Gefäßveränderungen (z. B. Herz-Kreislauf-Erkrankungen durch Gefäßverengung, Augenbefall bis zur Erblindung, Nierenbefall bis zum Nierenversagen). Patienten mit gleichzeitig bestehendem Diabetes und Fettstoffwechselstörungen sind also sehr gefährdet.

DNA
engl. Desoxyribonucleic Acid = Desoxyribonukleinsäure. Träger der Gene, also der Erbinformationen eines jeden Menschen. Sie ist auf den Chromosomen lokalisiert, von denen in jeder Körperzelle des Menschen 23 vorhanden sind.

Echokardiografie
Eine Ultraschalluntersuchung des Herzens, mit der man Schlagkraft, Zusammenziehen und Entspannung, Funktion der Herzklappen etc. beurteilen kann. Sie ist schmerzlos und ohne Strahlenbelastung.

EKG
Elektrokardiogramm: Aufzeichnung der Herzstromkurve. An der Höhe der Ausschläge, der Dauer und dem Verhältnis der verschiedenen Wellen zueinander kann man Herzerkrankungen wie z. B. Rhythmusstörungen, Herzvergrößerungen, koronare Herzkrankheiten und Herzinfarkte ablesen.

Elektrolyte
Mineralsalze mit (sehr geringer) elektrischer Ladung, z. B. Kalium, Magnesium und Kalzium. E. sind für viele Stoffwechselfunktionen von Bedeutung, und ihre Konzentrationen werden vom Körper streng geregelt.

Embolien
Verschlüsse eines → Blutgefäßes durch Material, das mit dem Blut eingeschwemmt wird, beispielsweise Fetttropfen, Blutgerinnsel und Luftblasen.

Energiebedarf
Unter E. versteht man die Menge an Energie, welche der Körper benötigt, um die Funktionsfähigkeit seiner Organe in bestimmten Ruhe- bzw. Leistungszuständen zu gewährleisten. Der in der Nahrung enthaltene Energiegehalt, der vom Körper verarbeitet werden kann, wird mit Kilokalorien (kcal) oder Kilojoule (kJ) angegeben. Der E. des Körpers hängt vom individuellen Grund- und Leistungsumsatz ab, der durch Faktoren wie Körpergewicht, Körpergröße, Alter oder Schweregrad der Arbeit beeinflusst wird. Der Grundumsatz bezeichnet dabei den E., den der Körper im Ruhezustand zur Aufrechterhaltung aller lebenswichtigen Körperfunktionen, wie Atmung oder Stoffwechsel, hat. Der Leistungsumsatz geht über den Grundumsatz hinaus: Er bezeichnet die Energiemenge, die vom Körper täglich benötigt wird, um bestimmte Arbeiten zu verrichten und ist gleichzeitig beispielsweise abhängig von der Wärmeproduktion oder dem Bedarf des Körpers für Wachstum, Schwangerschaft oder Stillzeit.

essenziell
hier: Substanzen, die der menschliche Körper nicht selbst bilden kann und die daher mit der Nahrung zugeführt werden müssen. Beispiele sind e. Fettsäuren oder e. Aminosäuren. Auch Vitamine sind e. Nahrungsbestandteile.

Fettsäuren
Bestandteil von → Triglyzeriden, unterschieden werden hier nach dem chemischen Aufbau (Anzahl der Doppelbindungen): gesättigte (keine), einfach ungesättigte (eine) und mehrfach ungesättigte Fettsäuren (mehrere). Je mehr Doppelbindungen eine Fettsäure aufweist, desto eher reagiert sie auch mit anderen Stoffen; gesättigte Fettsäuren bilden v. a. Depotfett. → Essenzielle Fettsäuren kann der Organismus nicht aus anderen Nährstoffen bilden, sie müssen folglich mit der Nahrung aufgenommen werden. Hierzu zählen z. B. Linolsäure oder Linolensäure.

Fettstoffwechselstörungen
Die F. umfassen zumeist Erhöhungen der Cholesterin- und / oder Triglyzeridwerte im Blut. Die F. ist gekennzeichnet durch einen Überschuss an → Lipoproteinen. Zu viele aufgenommene Fette können nicht in ausreichendem Maße wieder abgebaut werden. Fresszellen, die ursprünglich der Beseitigung der überschüssigen → Lipoproteine dienen, lagern sich zusätzlich an den Gefäßwänden ab, und das Risiko für Schlaganfälle und Herzinfarkte erhöht sich um ein Vielfaches. Die primäre F. ist vererblich, doch vielen F. liegen eine falsche Ernährung oder andere Faktoren, z. B. → Diabetes mellitus, eine falsche Medikation oder eine Unterfunktion der Schilddrüse zugrunde. Zur Bekämpfung einer F. muss meist der Cholesterinspiegel gesenkt oder die ursächliche Krankheit behandelt werden.

Die Medikamente gegen F. enthalten z. B. → Statine oder → Fibrate.

Fibrate

Gruppe von Medikamenten, die bei → Fettstoffwechselstörungen eingesetzt wird. Sie senken die Blutfettkonzentration über einen gesteigerten Abbau von Fetten innerhalb der Zelle.

Gallensäuren

In der Leber produzierte Abkömmlinge des → Cholesterins, die für die Aufnahme (Resorption) von mit der Nahrung aufgenommenen Fetten ins Blut erforderlich sind. In der Leber wird → Cholesterin zu Cholsäure umgebaut und anschließend mit den Aminosäuren Glyzin oder Taurin konjugiert (primäre Gallensäuren). Nach Zwischenlagerung in der Gallenblase werden die G. über die Gallengänge in den Zwölffingerdarm abgegeben.

Durch bakterielle Prozesse im Darm wird das zuvor angelagerte Glyzin bzw. Taurin wieder abgespalten, man spricht nun von sogenannten sekundären G. Sowohl primäre als auch sekundäre G. werden fast komplett im unteren Dünndarm wieder ins Blut aufgenommen (rückresorbiert).

Gene

Erbinformation, → DNA

Glukokortikoide

Gruppe von → Hormonen der Nebennierenrinde, die v. a. den Kohlenhydratstoffwechsel regeln, außerdem wirken sie entzündungshemmend und fördern die Unterdrückung von Prozessen im → Immunsystem. Beispiele sind Kortisol und Kortikosteron, Grundstoff der körpereigenen Bildung ist → Cholesterin.

Glyzerine

Grundstoffe von → Triglyzeriden (Glyzerin plus drei → Fettsäuren).

Grundumsatz

Der G. ist diejenige Energiemenge, die ein Körper pro Tag bei absoluter Ruhe und nüchtern zur Aufrechterhaltung aller seiner Funktionen benötigt. Der G. ist von Geschlecht, Alter, Gewicht, Körpergröße, Muskelmasse und Gesundheitszustand abhängig. Zum G. kommt der → Energiebedarf hinzu, der für Aktivitäten verbraucht wird (Leistungsumsatz), beide zusammen geben den täglichen Energiebedarf an.

Hämorrhagisch

Durch eine Blutung bedingt, z. B. hämorrhagischer Schlaganfall = Gehirnblutung.

HDL

High Density Lipoproteins, enthalten etwa 25 Prozent des gesamten Cholesterins (das sogenannte „gute" Cholesterin) im Körper und transportieren Cholesterin von den Körperzellen zur Leber, wo es weiter verarbeitet wird, → Lipoproteine.

Herzinfarkt

Fachsprachlich auch Myokardinfarkt, dabei kommt es zu einer akuten, nicht ausgleichbaren Minderdurchblutung des Herzmuskels mit dem Absterben (Infarkt) des betroffenen Gewebes. Ein typisches Symptom für einen H. sind anhaltende, typischerweise drückende, dumpfe Schmerzen hinter dem Brustbein, die bis in den linken Arm, den Kiefer oder auch den Oberbauch ausstrahlen können. Faktoren, die das Risiko für einen H. erhöhen, sind Rauchen, erhöhter Cholesterinspiegel, mangelnde körperliche Aktivität, → Diabetes mellitus oder auch Stress.

HMG-CoA-Reduktase

Kurz für 3-Hydroxy-3-Methylglutaryl-Coenzym-A-Reduktase. Es handelt sich dabei um das wesentlichste → Enzym, das für die → Cholesterinsynthese im Körper selbst verantwortlich ist. Die Unterdrückung der Aktivität dieses wichtigen → Enzyms ist Wirkprinzip der → Statine.

Homozystein

H. ist ein Zwischenprodukt im menschlichen Eiweißstoffwechsel, genauer gesagt entsteht es beim Abbau der Aminosäure Methionin. H. ist ein schädliches Abfallprodukt und wird deshalb rasch entweder wieder umgebaut und in Methionin zurückverwandelt oder sofort mit dem Urin ausgeschieden. Dafür benötigt der Körper allerdings Vitamin B12 und Folsäure (Umbau) bzw. Vitamin B6 (Ausscheidung). H. schädigt den Körper auf verschiedenen Wegen. Es aktiviert Blutplättchen und fördert dadurch die Bildung von Blutgerinnseln. Es schädigt die Innenwände der Gefäße direkt und stimuliert außerdem die Ausbildung oder Vergrößerung bestehende arteriosklerotischer → Plaques. Wenn die H.-Konzentrationen im Blut ständig erhöht sind, begünstigt dies also die Entstehung einer → Arteriosklerose und der zugehörigen Folgeerkrankungen wie → Schlaganfall, arterielle Verschlusskrankheit und → Herzinfarkt.

Hormone

Verschiedene Botenstoffe im Körper, die von speziellen Drüsenzellen (z. B. Schilddrüse, Nebenniere) oder von Nervenzellen (sogenannte Neurotransmitter) produziert und ins Blut abgegeben werden. Mit dem Blutstrom werden sie dann zu den Organen transportiert, in denen sie ihre spezifischen Funktionen erfüllen. An den Organen binden sich die speziellen Hormonmoleküle dann an die → Rezeptoren. Steroidhormone, die direkt durch die Zelle eindringen können, sind im Gegensatz zu Peptidhormonen lipidlöslich. Ihre Bildung erfolgt mithilfe von → Enzymen aus → Cholesterin.

Hypercholesterinämie

H. bezeichnet eine erhöhte Konzentration von → Cholesterin im Blut.

Hyperlipoproteinämie

H. bezeichnet eine erhöhte Konzentration von → Lipoproteinen im Blut.

Hypertriglyzeridämie

H. bezeichnet eine erhöhte Konzentration von → Triglyzeriden im Blut.

Immunsystem

Das menschliche I. ist das biologische Abwehrsystem im Körper, das die Schädigung von Gewebezellen durch Krankheitserreger wie z. B. Bakterien, Viren oder Pilze verhindert. Körperfremde Mikroorganismen und Substanzen werden beispielsweise durch Antikörper oder spezialisierte Fresszellen unschädlich gemacht und fehlerhaft gewordene körpereigene Zellen können erkannt und abgebaut werden.

Infarkt

Schneller, umschriebener Untergang eines Organ(teil)s infolge einer akuten, örtlich begrenzten, zu geringen oder fehlenden Durchblutung, die zu einem Sauerstoffmangel führt. Beispiele sind: → Herzinfarkt, Hirninfarkt (= → Schlaganfall).

Intima-Media-Dicke (IMD)

Intima bezeichnet die innerste Schicht der Wand einer → Arterie, ausgekleidet von den Endothelzellen, die Media ist die mittlere Schicht. Die Dicke dieser Schicht nimmt mit dem Alter zu. Bei einer → Arteriosklerose liegt die Dicke dieser Schicht höher als bei Vergleichspersonen gleichen Alters ohne → Arteriosklerose. Die IMD wird mittels → Sonografie (Ultraschall) gemessen und kann zur Frühdiagnose einer → Arteriosklerose herangezogen werden.

Dies wiederum erlaubt rechtzeitige Gegenmaßnahmen, bevor es zu schweren Folgen wie → Herzinfarkt oder → Schlaganfall kommt.

Ischämie

Blutleere oder Minderdurchblutung (Durchblutungsstörung) eines Gewebes oder Organs, weil die → Arterien nicht ausreichend Blut anliefern. Bedingt durch Einengung bzw. Verschluss der Gefäße wie z. B. durch eine arteriosklerotische → Plaque.

Kohlenhydrate

K. (auch Saccharide), zu denen auch die Zucker gehören, sind organische Verbindungen aus Kohlenstoff, Wasserstoff und Sauerstoff. Als Nährstoffe machen sie den größten Teil der gesamten organischen Substanz aus. Sie stellen die quantitativ umfangreichste verwertbare (z. B. Stärke) und nicht verwertbare (Ballaststoffe) Nahrungskomponente und somit neben → Proteinen und → Lipiden ein Hauptenergielieferant in der Nahrung. Der Körper wandelt überschüssige K. in → Lipide um.

koronare Herzkrankheit (KHK)

Oberbegriff für alle Störungen, die im Rahmen einer → Arteriosklerose (Verengung) der Herzkranzgefäße (Koronararterien), z. B. → Angina pectoris, → Herzinfarkt auftreten. Wird die KHK nicht behandelt, nimmt sie an Schwere zu und es kommt zu Rhythmusstörungen, Belastungsschmerzen, → Angina pectoris bis hin zum → Infarkt aufgrund der Mangeldurchblutung.

Kortikoide

Hormongruppe, die in der Nebennierenrinde gebildet wird (cortex, lat.: Rinde); gleichzeitig Überbegriff für → Glukokortikoide und → Mineralokortikoide.

LDL

Low Density Lipoproteins, transportieren → Cholesterin von der Leber zu den Körperzellen; L. kann sich in den Wänden der Blutgefäße ablagern und so zu einer → Arteriosklerose führen. → Lipoproteine.

Lipasen

Enzyme, die → Triglyzeride in → Glyzerin und → Fettsäuren aufspalten, so dass sie vom Darm ins Blut gelangen können. Lipasen werden von der Bauchspeicheldrüse gebildet und von ihr im Dünndarm freigesetzt.

Lipide

L. sind Fette. Sie dienen als Energiespeicher in Form des Fettgewebes, sind Grundbaustein für → Gallensäuren, wichtige → Hormone und Botenstoffe und sind an der Bildung von Zellmembranen beteiligt.

Lipoprotein(a)

→ Lipoprotein, das ähnlich dem → LDL-Cholesterin aufgebaut ist. In den letzten Jahren hat man festgestellt, dass eine Erhöhung der Konzentration von L. im Blut einen zusätzlichen und unabhängigen Risikofaktor für schwere Herz-Kreislauf-Ereignisse wie → Herzinfarkt und → Schlaganfall darstellt.

Lipoproteine

Transportform für Fette im Blut. Sie haben ein kugelähnliches Aussehen und bestehen aus einem äußeren Mantel aus → Proteinen (Eiweißen), → Phospholipiden als Vermittlern und → Lipiden im Innern. Nach ihrem spezifischen Gewicht unterscheidet man → Chylomikronen (geringste Dichte), → VLDL (sehr geringe Dichte), → LDL (geringe Dichte) und → HDL (hohe Dichte).

Menopause

Letzte von den Eierstöcken ausgelöste Regelblutung; die Zeit danach wird als → Postmenopause bezeichnet (von post, lat.: nach).

Mineralokortikoide

Gruppe von → Hormonen der Nebennierenrinde, die v. a. den Flüssigkeits- und Mineralstoffhaushalt regeln. Ein Beispiel ist Aldosteron, der Grundstoff für dessen körpereigene Bildung ist → Cholesterin.

Myelinscheiden

Lipidreiche Ummantelungen um die Ausläufer (Axone) von Nervenzellen. Sie wirken elektrisch isolierend und sorgen für eine schnellere Ausbreitung der Nervensignale.

Neutralfette

→ Triglyzeride

Nikotinsäure (Niacin)

Nikotinsäure wird als Medikament bei erhöhten Blutfettkonzentrationen eingesetzt, wenn eine alleinige Therapie mit → Statinen nicht ausreichend ist. N. senkt das → LDL-Cholesterin, → Lipoprotein(a) und → Triglyzeride und erhöht das → HDL-Cholesterin. Sie gehört darüber hinaus zu den B-Vitaminen und ist in dieser Funktion am Eiweiß-, Fett- und Kohlenhydratstoffwechsel beteiligt.

Omega-3-Fettsäuren

O. sind ungesättigte, lebensnotwendige → Fettsäuren, die ebenso wie die → Omega-6-Fettsäuren mehr als eine Doppelbindungsstruktur aufweisen. Ihre Klassifikation erfolgt demnach anhand der Lokalisation der ersten Doppelbindung, gerechnet vom letzten Kohlenstoffatom der Fettsäurekette. Die O. können vom menschlichen Körper nicht selbst produziert werden, da ihm das entsprechende → Enzym dafür fehlt. Aus diesem Grund müssen sie mit der Nahrung aufgenommen werden, um den Körper ausreichend mit Nährstoffen zu versorgen. Die bekanntesten O. kommen hauptsächlich in Kaltwasserfischarten wie Makrele, Hering oder in Pflanzenölen wie Soja-, Raps- oder Leinsamenöl vor.

Omega-6-Fettsäuren

Die O. haben ihre erste Doppelbindung am sechsten Kohlenstoffatom, von hinten gezählt. Sie sind ebenfalls → essenziell für den Menschen, wichtiger Bestandteil der Zellmembranen und Vorläufer vieler wichtiger Substanzen im Körper, die beispielsweise den Blutdruck regulieren oder Entzündungsreaktionen hervorrufen. Auch sie müssen mit der Nahrung aufgenommen werden. Die Zufuhr der → Omega-3- und Omega-6-Fettsäuren sollte idealerweise in einem Verhältnis von eins zu fünf erfolgen, da sie sich sonst gegenseitig in ihrer Wirkung beeinträchtigen können. Die O. Linolsäure sowie die Alpha-Linolensäuren, → Omega-3-Fettsäuren, werden im Körper für Wachstum und die Reparatur von Geweben benötigt. O. sind z. B. in Sonnenblumen-, Distel-, Maiskeim- oder Sojaöl enthalten.

periphere arterielle Verschlusskrankheit

pAVK: → Arteriosklerose der großen Beinschlagadern, was aufgrund der Mangeldurchblutung zu Schmerzen bei Anstrengung (beim Gehen), später auch in Ruhezuständen führt. Unbehandelt kann die pAVK die Amputation eines Beines notwendig machen.

Phospholipide

P. bestehen aus einem „wasserfreundlichen" Kopf und einem „wasserabweisenden" Schwanz (Kohlenwasserstoffketten). Sie können durch diese Doppeleigenschaft (Amphiphilie) wasserabweisende und wasserfreundliche Substanzen in einem „Paket" transportieren, beispielsweise die → Lipoproteine, und sind darüber hinaus ein wichtiger Bestandteil der Zellmembranen.

Plaque, arteriosklerotische

Einlagerung von Fremdstoffen in die Endothelschicht des Gefäßinneren. Sie finden an Orten minimaler Verletzungen der Gefäßwand statt, ausgelöst durch Rauchen, Bluthochdruck oder eine Zuckerkrankheit. Die P. besteht aus eingelagertem → Cholesterin, Blutplättchen und anderen Zellen, dazu kommt ein übermäßiges Wachstum der gefäßeigenen Muskulatur.

Postmenopause

→ Menopause

Proteine

P. sind Eiweiße, die Grundbestandteil und somit strukturgebend für alle Zellen sind. Sie sind außerdem sogenannte Funktionseiweiße in Form von → Hormonen, → Enzymen und Antikörpern und für den Transport von Nährstoffen und Stoffwechselprodukten im Blutkreislauf verantwortlich. P. werden über die Nahrung aufgenommen und bei der Verdauung dann in ihre Bestandteile, die Aminosäuren, zerlegt, von denen insgesamt acht → essenziell für den menschlichen Körper sind, d. h. mit der Nahrung aufgenommen werden müssen. Die restlichen für die Bildung aller notwendigen Eiweiße benötigten Aminosäuren kann der menschliche Körper selbst herstellen. P. verhindern außerdem bei Verletzungen von → Blutgefäßen einen zu starken Blutverlust, da sie hier als Blutgerinnungsfaktoren fungieren. Im Hungerzustand nutzt der Körper die P. auch als Energielieferanten. Sie sind dann Reservestoffe.

Radikale, freie

Atome oder Moleküle im Körper, denen in ihrer chemischen Struktur mindestens ein Elektron fehlt. Aus diesem Grund greifen sie andere Moleküle an, um diesen ein Elektron zu rauben. Sie entstehen als Zwischenprodukte bei der Energiegewinnung mit Sauerstoff und sind besonders aggressiv und reaktionsfreudig, weswegen sie auch reaktive Sauerstoffspezies genannt werden (reactive oxygen species, ROS). In hoher Konzentration können sie wichtige → Eiweiße des Stoffwechsels, der → DNS oder aus Zellmembranen zerstören und Körperzellen stark schädigen.

Rezeptoren

Strukturen an der Oberfläche von Körperzellen (z. B. von Lymphozyten), an die sich bestimmte Substanzen binden können, worauf es zu einer (für den Rezeptor und die Substanz) spezifischen Reaktion kommt. Beispiel: Ein T-Lymphozyt bindet Fremdkörper über seine spezifischen R. Werden diese R. dann durch andere Substanzen „blockiert", kann die eigentlich für den Rezeptor gedachte Substanz nicht mehr an diesen binden und die entsprechende Reaktion somit nicht mehr erfolgen.

RNA

engl. Ribonucleic Acid = Ribonukleinsäure. Die RNA überträgt die Erbinformationen aus der → DNA, die im Zellkern liegt, in das Zellplasma, wo die „Sprache" der RNA dann in → Eiweiße (genauer gesagt, in die Abfolge der einzelnen Aminosäuren, die ein → Eiweiß charakterisiert) übersetzt wird.

Schlaganfall (Apoplex)

Ursache eines S. ist ein akut auftretender Mangel an Sauerstoff und Nährstoffen im Gehirn, wodurch dann Nervenzellen zugrunde gehen. Am häufigsten sind ischämische → Schlaganfälle (durch plötzliche auftretende Minderdurchblutung: Hirninfarkt). Seltener sind akute Hirnblutungen (hämorrhagische Infarkte), die sekundär sind, aber durch den von ihnen ausgeübten Druck, der in der knöchernen Schädelkapsel nicht ausgeglichen werden kann, dann ebenfalls zu einer Minderdurchblutung führen.

Sonografie

Auch Ultraschall(untersuchung). Bei einer S. wird eine Schallsonde auf den Körper aufgesetzt, die Ultraschallwellen abgibt (Frequenz: ein bis 40 MHz). Diese Wellen dringen in das zu untersuchende Gewebe ein und werden in Abhängigkeit vom Gewebeaufbau unterschiedlich gestreut und reflektiert. Aus dem Muster der Ultraschallwellenreflektion lässt sich eine Aussage über Gewebeveränderungen treffen. Die Untersuchung ist nicht schmerzhaft und nicht mit einer Belastung durch Röntgenstrahlen verbunden.

Statine

Auch → HMG-CoA-Reduktase-Hemmer oder → CSE-Hemmer genannt. S. hemmen die körpereigene → Cholesterinsynthese, indem sie ein wichtiges → Enzym der Produktionskette, → HMG-CoA-Reduktase, an seiner Arbeit hindern und der Körper somit weniger → Cholesterin bilden. Die Zellen verfügen in der Folge über zu wenig → Cholesterin, das sie für den Aufbau von Zellmembranen, → Hormone etc. benötigen.

Deshalb nehmen sie dementsprechend mehr Cholesterin aus dem Blut auf, die → Cholesterinkonzentration im Blut sinkt.

Stethoskop

Instrument für die Untersuchung von Schallphänomenen (Auskultation) von Organtätigkeiten. Mit einem S. werden z. B. der Herzschlag und die Atmung abgehört, aber auch die Strömungsgeräusche des Blutes bei der Blutdruckmessung können hiermit wahrgenommen werden.

Stoffwechsel

Der S. (Metabolismus) umfasst die Aufnahme, den Transport sowie die chemische Umwandlung bestimmter Stoffe und die Abgabe von Stoffwechselendprodukten aus dem Körper über Substanzen wie Schweiß, Kot oder Urin. Hauptfunktionen des S. sind der Aufbau und die Erhaltung von Körpersubstanzen sowie die Gewinnung von Energie, um hiermit die Funktionsfähigkeit der Organe zu gewährleisten. → Enzyme beschleunigen dabei die chemischen Vorgänge im Körper.

Symptome

Anzeichen, Warnzeichen für eine Erkrankung. Eine für eine bestimmte Erkrankung charakteristische Kombination von Symptomen wird auch als Syndrom bezeichnet.

Thrombose

Bildung von Blutgerinnseln (Thromben) innerhalb eines → Blutgefäßes. Diese behindern dann den Blutfluss zu den Körperorganen. Außerdem können Teile eines Thrombus abgespalten und in andere Organe verschleppt werden (→ Embolie), wo sie ihrerseits zu teilweise massiven Durchblutungsstörungen führen können.

Transfettsäuren

Ungesättigte → Fettsäuren mit einer bestimmten räumlichen Anordnung einer Kohlenstoffdoppelbindung (trans-Anordnung). Sie erhöhen den → LDL-Cholesteringehalt im Blut und tragen damit zur Entstehung von → Arteriosklerose und deren Folgeerkrankungen bei. T. entstehen bei der industriellen Härtung von Pflanzenölen, aber auch in der eigenen Küche, z.B. beim Frittieren, durch starkes Erhitzen (ab etwa 130 °C) von eigentlich gesunden Pflanzenölen mit einem hohen Anteil an mehrfach ungesättigten Fettsäuren (beispielsweise → Linolsäure).

Triglyzeride

Neutralfette, die aus → Glyzerin und → Fettsäuren bestehen und bei zu hoher Konzentration zu → Fettstoffwechselstörungen und zu Arteriosklerose beitragen. Sie gehören wie auch das → Cholesterin zu den Nahrungsfetten und liefern weit mehr Energie als → Kohlenhydrate und → Proteine. T. werden im menschlichen Fettgewebe gespeichert, um als Energiereserven zu dienen. → Chylomikronen transportieren die Neutralfette in die Leber. Der empfohlene T.-Wert liegt bei unter 150 Milligramm pro Deziliter Blut.

T-Zellen

Untergruppe der menschlichen Immunzellen, die auch T-Lymphozyten genannt werden. Sie sind Träger der zellulären Abwehr. Ihre Aufgabe ist es, mithilfe spezieller Rezeptoren Fremdkörper (Antigene) zu erkennen und diese zu binden. Zusammen mit anderen Zellen können sie dann unschädlich gemacht werden.

Ultraschall

→ Sonografie

Venen

„Blutadern", von den Organen zum Herzen zurückführende Blutgefäße, welche die Abfallprodukte des Stoffwechsels aus den Organen abtransportieren.

Very Low Density Lipoproteins (VLDL)

VLDL transportieren v. a. → Triglyzeride

Vitamine

V. sind organische Stoffe, die der Körper zur Aufrechterhaltung lebenswichtiger Funktionen benötigt. Da sie zum großen Teil nicht vom Körper selbst produziert werden können, müssen sie über die Nahrung aufgenommen werden. V. sind beteiligt am → Stoffwechsel, indem sie die Verwertung von Kohlenstoffen, → Eiweißen und Mineralien steuern, somit für deren Auf- und Umbau mitverantwortlich sind, der Energiegewinnung (→ Energiebedarf) dienen und das → Immunsystem stärken. Ihre Bedeutung für den Körper ist aber noch größer, da sie außerdem am Aufbau von Zellen, Zähnen, Knochen und Blutkörperchen beteiligt sind.

Ein Mangel an V. kann für den Körper schwerwiegende Folgen nach sich ziehen, beispielsweise Verdauungsprobleme, Veränderungen des Blutbilds, eine Störung der Blutgerinnung oder auch eine Schwächung des → Immunsystems.

Hilfreiche Adressen

Einen allgemeinen Patientenservice im Sinne einer Qualitätssicherung in der Medizin bietet die Bundesärztekammer in Zusammenarbeit mit der Kassenärztlichen Bundesvereinigung. Hier können Sie sich (nicht nur, aber auch) über Cholesterin, Triglyzeride und Arteriosklerose, infrage kommende Behandlungen, Ihre Rechte als Patient oder Patientin und vieles mehr informieren. Auch eine Arztsuche wird angeboten. Des Weiteren sollen Checklisten die Wahl der richtigen Arztpraxis erleichtern.

Ärztliches Zentrum für Qualität in der Medizin (ÄZQ)
TiergartenTower, Str. des 17. Juni 106–108, 10632 Berlin
Tel.: 030/40 05 25 01 oder - 25 04, Fax: 030/40 05 25 55
E-Mail: patienteninformation@azq.de oder mail@azq.de
Internet: www.patienten-information.de oder www.aezq.de

Die Bundesvereinigung Prävention und Gesundheitsförderung (BVPG) e.V. wirkt u.a. über zentrale Bundesgremien, Arbeitsweise, Tagungen und Veröffentlichungen zum Thema bei der fachlichen Diskussion mit und nimmt zu den im Namen erkennbaren Themenschwerpunkten Stellung.

Bundesvereinigung Prävention und Gesundheitsförderung e.V.
Heilsbachstr. 30, 53123 Bonn
Tel.: 02 28/98 72 70, Fax: 02 28/64 20 02 4
E-Mail: info@bvpraevention.de
Internet: www.bvpraevention.de

Die Bundeszentrale für gesundheitliche Aufklärung (BZgA) hat sich zum Ziel gesetzt, Gesundheitsrisiken vorzubeugen und gesundheitsfördernde Lebensweisen zu unterstützen – hier finden Sie beispielsweise Informationen zur Raucherentwöhnung.

Bundeszentrale für gesundheitliche Aufklärung (BzgA)
Postfach 910152, 51071 Köln
Tel.: 02 21/89 92 0, Fax: 02 21/89 92 30 0
E-Mail info@bzga.de
Internet: www.bzga.de

Die Deutsche Gefäßliga hat es sich zum Ziel gesetzt, über Risikofaktoren für Gefäßkrankheiten wie Arteriosklerose aufzuklären. Krankheitsbilder rund um die Gefäße werden erläutert, auf Wunsch können auch Informationsmaterialien angefordert oder heruntergeladen werden.

Deutsche Gefäßliga e. V.
Postfach 40 38, 69254 Malsch b. Heidelberg
Tel.: 07 25 3 / 26 22 8, Fax: 07 25 3 / 27 81 60
E-Mail: info@deutsche-gefaessliga.de
Internet: www.deutsche-gefaessliga.de

Die Deutsche Gesellschaft für Ernährung erläutert auf ihrer Website gut verständlich die Funktion der verschiedenen Makro- und Mikronährstoffe wie Kohlenhydrate, Proteine, Fette, Vitamine und Mineralstoffe und deren Einfluss auf die Blutfettkonzentrationen. Außerdem werden weitere Informationen zu Ernährung, Diäten, Gewichtsreduktion etc. sowie diverse Internet-Links anderer Institutionen angeboten.

Deutsche Gesellschaft für Ernährung (DGE) e. V.
Postfach 930201, 60457 Frankfurt am Main
Tel.: 06 9 / 97 68 03 0, Fax: 06 9 / 97 68 03 99
E-Mail: webmaster@dge.de
Internet: www.dge.de

Die Deutsche Gesellschaft für Gesundheit und Prävention (DGGP) ist der Berufsverband für folgende Fachberatungsberufe im Gesundheitswesen: Entspannungspädagogen, Ernährungsberater und Gesundheitspädagogen/ Gesundheitsberater. Für diese Berufsgruppen werden Fach-Fortbildungen angeboten. In den Mitgliederlisten finden sich zahlreiche kompetente Ansprechpartner, Berater oder Dozenten für Ernährung, Entspannung und Prävention.

Deutsche Gesellschaft für Gesundheit und Prävention e.V. (DGGP)
Repkotten 24, 42279 Wuppertal
Tel.: 02 02 / 76 95 44 9, Fax: 02 02 / 76 95 45 0
E-Mail: verband@dggp.org
Internet: www.dggp.org

Die Deutsche Gesellschaft für Kardiologie setzt sich – u. a. in Kommissionen, Projekt- und Arbeitsgruppen – mit Folgen der Fettstoffwechselstörungen auf Herz und Gefäße auseinander. Des Weiteren werden Pocket-Leitlinien zum Download angeboten.

Deutsche Gesellschaft für Kardiologie – Herz- und Kreislaufforschung e. V.
Achenbachstr. 43, 40237 Düsseldorf
Tel.: 02 11 / 60 06 92 0, Fax: 02 11 / 60 06 92 10
E-Mail: info@dgk.org
Internet: www.dgk.org oder www.dgkardio.de

Die Deutsche Gesellschaft zur Bekämpfung von Fettstoffwechselstörungen und ihren Folgeerkrankungen (DGFF e. V.) bietet unabhängige Informationen im Bereich Fettstoffwechsel und Arteriosklerose. Sie hat es sich zum Ziel gemacht, über gesicherte Erkenntnisse zu Vorbeugung, Diagnostik und Therapie in diesen Gebieten aufzuklären. So soll Fehleinschätzungen von Risiken bei Fettstoffwechselstörungen vorgebeugt werden.

Deutsche Gesellschaft zur Bekämpfung von Fettstoffwechselstörungen und ihren Folgeerkrankungen DGFF (Lipid-Liga) e. V.
Waldklausenweg 20, 81377 München
Tel.: 08 9 / 71 91 00 1, Fax: 08 9 / 71 42 68 7
E-Mail: info@lipid-liga.de
Internet: www.lipid-liga.de

Die Deutsche Herzstiftung ist mit über 60.000 Mitgliedern die größte Patientenorganisation auf ihrem Gebiet in Deutschland. Sie klärt über Risikofaktoren wie erhöhte Blutfettwerte, Rauchen etc. auf, informiert über Diagnose und Behandlung von Herz- und Gefäßerkrankungen und möchte eine gesunde Lebensweise fördern.

Deutsche Herzstiftung e. V.
Vogtstr. 50, 60322 Frankfurt
Tel.: 06 9 / 95 51 28 0, Fax: 06 9 / 95 51 28 31 3
E-Mail: info@herzstiftung.de
Internet: www. herzstiftung.de

Die Förderung der Gesundheit und gesundheitsbewusster Verhaltensweisen steht im Mittelpunkt der Verbandsarbeit des Deutschen Verbandes für Gesundheitssport und Sporttherapie e.V. (DVGS), der auch Abschlüsse, Aus-, Fort- und Weiterbildungen zur Weiterqualifikation für bewegungsbezogene Gesundheitsförderung und Sporttherapie anbietet.

Deutscher Verband für Gesundheitssport und Sporttherapie e.V.
Vogelsanger Weg 48, 50354 Hürth-Efferen
Tel.: 02 23 3 / 65 01 7, Fax: 02 23 3 / 64 56 1
E-Mail: dvgs@dvgs.de
Internet: www.dvgs.de

Das Deutsche Grüne Kreuz (DGK) e.V. ist eine gemeinnützige Vereinigung zur Förderung der Gesundheitsvorsorge und der Kommunikation in Deutschland. Durch eigene Kampagnen und Informationen soll eine gesunde Lebensweise vermittelt werden.

DEUTSCHES GRÜNES KREUZ e.V.
Im Kilian, Schuhmarkt 4 , 35037 Marburg
Tel.: 06 42 1 / 29 30, Fax: 06 42 1 / 22 91 0
E-Mail: dgk@kilian.de
Internet: www.dgk.de

Das Hessische Ministerium für Umwelt, Energie, Landwirtschaft und Verbraucherschutz bietet auf seiner Website (unter „Ernährung und Lebensmittel") Informationen zu Lebensmittelkunde und Verbraucherschutz, Ernährungsempfehlungen und Ernährungshinweise für besondere Situationen, z. B. für Menschen, die regelmäßig außer Haus essen müssen.

Landesbetrieb Hessisches Landeslabor (LHL)
- Informationsmanagement -
Behördenzentrum / Haus 13
Schubertstr. 60, 35392 Gießen
Dr. Roy Ackmann (Leitung)
Tel.: 06 41 / 48 00 53 05, Fax: 06 41 / 48 00 53 01
E-Mail: über Kontaktformular auf der Website
Internet: www.verbraucherfenster.hessen.de

In Österreich bietet der Österreichische Herzfonds allgemeine Informationen über Herzerkrankungen und Links „rund um's Herz" sowie Ausführliches zu Risikofaktoren wie Cholesterin. Das Angebot wird abgerundet durch einen Serviceteil und weiterführende Links.

Österreichischer Herzfonds
Türkenstr. 12/3, A-1090 Wien
Tel.: 00 43 / 1 / 40 59 15 5, Fax: 00 43 / 1 / 40 59 15 6
E-Mail: office@herzfonds.at
Internet: www.herzfonds.at

Die Schweizerische Gesellschaft für Ernährung bietet Ernährungstests, Ratgeber zu Ernährungsfragen, eine Fragen-Antworten-Sammlung zu häufigen Problemen im Bereich Ernährung und interessante Rezepte.

Schweizerische Gesellschaft für Ernährung
Schwarztorstr. 87, Postfach 8333, CH-3001 Bern
Tel.: 00 31 / 3 85 00 00, Fax: 00 31 / 38 50 00 5
E-Mail: info@sge-ssn.ch
Internet: www.sge-ssn.ch

In der Schweiz finden von Arteriosklerose und Folgekrankheiten Betroffene Informationen auf der Seite der Schweizer Herzstiftung. Darüber hinaus gibt es dort auch viele nützliche Tipps zur Vermeidung der Krankheiten, Informationen zu Blutfetten, interaktive Tests und mehr.

Schweizerische Herzstiftung
Schwarztorstr. 18, Postfach 368, CH-3000 Bern 14
Tel.: 00 31 / 38 88 08 0, Fax: 00 31 / 38 88 08 8
E-Mail: info@swissheart.ch
Internet: www.swissheart.ch

Das IQWIG (Institut für Qualität und Wirtschaftlichkeit im Gesundheitswesen) hat für Patienten auf einer Webseite zu mehr als 500 Themen allgemein gut verständliche Informationen über Erkrankungen, Behandlungen und Untersuchungen zusammengestellt. Darüber hinaus ist eine Krankenhaussuche möglich.

Stiftung für Qualität und Wirtschaftlichkeit im Gesundheitswesen
Dillenburger Str. 27, 51105 Köln
Tel.: 02 21 / 3 56 85 - 0, Fax: 02 21 / 3 56 85 - 1
E-Mail: info@iqwig.de
Internet: www.iqwig.de oder http://gesundheitsinformationen.weisse-liste.de/

Der Verein Fetttsucht informiert auf seiner Internet-Plattform über morbide Adipositas (Fettsucht) und deren operative Behandlungsmethoden. Er verweist außerdem auf Literatur zum Thema und bietet Kontaktmöglichkeiten zu Selbsthilfegruppen für Menschen mit krankhaftem Übergewicht. Des Weiteren sind Erfahrungsberichte und allgemeine, wie auch medizinische Links auf der Homepage zu finden.

Verein Fettsucht
c/o LV Med. Selbsthilfezentrum Wien „Maria Frühwirt"
Obere Augartenstr. 26–28, A-1020 Wien
Tel.: 06 99 / 11 81 01 99
E-Mail: verein@fettsucht.at
Internet: www.fettsucht.at

Die Österreichische Gesellschaft für Ernährung ist ein eingetragener, gemeinnütziger Verein, der es sich zum Ziel gesetzt hat, die Bevölkerung wissenschaftlich fundiert, aktuell und in das tägliche Leben direkt integrierbar über gesunde Ernährung zu informieren.
Der Verein informiert laufend auf seiner Website über aktuelle Ergebnisse aus der ernährungswissenschaftlichen Forschung. Auf der Website finden Sie einen Expertenpool mit ausgebildeten DiaetologInnen, ErnährungsmedizinerInnen und ErnährungswissenschafterInnen. Ebenfalls finden Sie dort auch zahlreiche Fachinformationen, die sämtliche Themen aus dem Bereich der Ernährung abdecken.

Österreichische Gesellschaft für Ernährung e. V.
Zimmermanngasse 3, A-1090 Wien
Tel: 00 43 / 1 / 71 47 19 3
Fax: 00 43 / 1 / 71 86 14 6
E-Mail: info@oege.at
Internet: www.oege.at

Empfehlenswerte Links

Die hier gelisteten Internetadressen bieten i. A. seriöse und ausführliche Informationen zu verschiedenen Krankheitsbildern an. Sie können dazu die jeweils auf den Seiten angebotene Suchfunktion nutzen oder auch einfach nur ein bisschen „schmökern".
Die auf diesen Seiten enthaltenen Informationen können und sollen aber im konkreten Einzelfall nie den Besuch beim Arzt ersetzen.

www.medizin-2000.de
Großes Gesundheitsnetzwerk zu speziellen Themen, auch zu Therapiemöglichkeiten und Naturheilverfahren.

www.meine-gesundheit.de
Konkrete medizinische Informationen bei Gesundheitsproblemen, zu Ursachen und Vorbeugung.

www.netdoktor.de
Internetportal, das unabhängige Informationen zu Symptomen, Untersuchungen, Therapien, Laborwerten, Medikamenten und Eingriffen bietet.

www.onmeda.de
Das Gesundheitsportal bietet ein großes Repertoire an Artikeln, Medikamenteninfos, Therapieformen und Wissenswertem zu Symptomen.

www.spiegel.de/wissenschaft/medizin
Aktuelle Neuigkeiten und Interessantes zu medizinischen Themen.

www.sprechzimmer.ch
Schweizer Portal mit vertieften Informationen zu Krankheitsbildern.

www.vitanet.de
Dieses Internetportal bietet ein breit gefächertes Angebot rund um die Themen Gesundheit, Ernährung und Medizin. Sie erfahren beispielsweise Wissenswertes zu Herz-Kreislauf-Erkrankungen oder Diabetes, zu Selbstmedikation oder darüber, wie Sie fit und gesund bleiben.

Register

Bildnachweis

Wir bedanken uns bei allen Bildlieferanten, die uns durch die Bereitstellung von Abbildungen freundlicherweise unterstützt haben.

djd/deutsche journalisten dienste: djd/DAK Pressestelle 8; djd/MSD Essex 51 f; djd/Schuster PR 55, 104; djd/Lefax 57; djd/Verlag Peter Jentschura 68; djd/Protina Pharm 83; djd/RatgeberZentrale 84, 106; djd (ohne Quellenangabe) 90, 23; djd/Weleda 4, 108; fotolia.com: T.Tulic 3, 6/7; Marco Wydmuch 26; Marin Conic 28; Frank-Peter Funke 29; Max Tactic 44; Eisenhans 59; Lilyana Vynogradova 67; Viktor 73; Dash 89; Kurhan 94, Gina Sanders 97; Elenathewise 101; Yuri Arcurs 102; iStockphoto.com: jamesbenet 19; Klosterfrau Gesundheitsdienst: 15; polylooks.de: PeJo29 10, 41, 80; Zoonar/Andy Dean Photography 12 (o.); seanprior 17, 31, 54, 78, 111; MonkeyBusinessImages 3, 24/25, 48/49, 81, 86, 95, 105, 110; Zoonar 32, 35, 36, 71, 87, 93; photomoment 37; Fisherman 38; glamourpixel 50; stylephotographs/Robert Kneschke 62/63; Zoonar/B-D-S 4, 64; Zoonar/Erwin Wodicka - Bilderbox.com 70: Alexander Rochau 99: wikipedia: AntiSense 12 (u.): David Bennbennick 76